마음혁명 이야기

대변혁의 시대에 나를 지키는 방법

마음혁명 이야기

대변혁의 시대에 나를 지키는 방법

발 행 | 2024년 1월 10일
저 자 | 유철기
펴낸이 | 유철기
펴낸곳 | 트랜스포마인드코리아
출판사등록 | 제 2022-000048 호
주 소 | 서울특별시 금천구 가산디지털1로 168, B동 201-18호 (가산동)
전 화 | 010-2258-8346
이메일 | support@trans4mind.co.kr

ISBN | 979-11-93727-02-7

마음혁명이야기

유철기 지음

목차

시작하며

우리가 살고 있는 현시대를 한마디로 표현하면, 대변혁의 시대이다.

4차 산업혁명의 시작으로 촉발된 기술의 급속한 발전은 우리의 일자리를 위협하기 시작했고, 전 세계를 마비시켰던 코로나19 팬데믹은 우리의 삶과 직결된 모든 분야를 한순간에 마비시킬 수 있음을 보여주며, 우리로 하여금 급격한 변화를 요구하였고, 지금도 요구하고 있다. 또한 기후 변화, 지진, 전쟁, 정치적 불안정 등 우리를 위협하며 변화를 촉구하는 요소가 너무나 많아지고 있다.

이러한 변화 속에서 우리는 삶의 희망을 잃기도 하고, 혼란과 불안을 느낄 수밖에 없다. 우리에게 친숙한 과거의 삶의 방식만으로는 더 이상 시시각각으로 급변하는 대변혁의 시대에서 도태될 수밖에 없음을 직감하면서도, 새로운 미래에 대한 비전을 갖기가 쉽지 않고, 변화에 발 빠르게 대처해 나갈 자신이 없기 때문이다.

그러나 이러한 변화는 우리에게 새로운 기회와 도전을 요구한다. 우리가 겪는 이러한 혼란과 불안을 극복하고, 대변혁의 시대에 나를 지키기 위해서는 어떻게 해야 할까?

위기를 기회로 바꾸기 위해서는 바로 마음혁명이 필요하다.

마음혁명이란, 우리가 가진 쉽고 편하며 능숙한 기존의 사고와 행동 패턴을 깨고, 급변하는 시대에 발맞추어 새로운 방식으로 세상을 바라보고 대처하는 것을 의미한다. 마음혁명을 통해 우리는 카멜레온처럼 변화할 수 있어야 하고 살아남아야 한다.

이 책은 마음혁명을 위해 필요한 다양한 이야기를 통해 대변혁의 시대를 슬기롭게 살아갈 수 있는 방법을 제시한다. 마음혁명 이야기 81화 속에는 대변혁의 시대에 우리에게 요구되는 마음의 자세인 변화에 대한 두려움을 극복하는 방법, 불안과 스트레스를 줄이는 방법, 긍정적인 사고를 키우는 방법과 마음혁명을 위한 구체적인 실천 방법인 마음 챙김, 자기 암시, 긍정적인 자기 대화 등이 포함되어 있다.

마음혁명을 통해 우리는 다음과 같은 변화를 이룰 수 있을 것이다.

- 대변혁의 시대로 인한 두려움을 극복하고, 새로운 기회를 포착할 수 있다.
- 마음 속의 불안과 스트레스를 줄이고, 평화롭고 안정적인 삶을 살아갈 수 있다.
- 나와 타인을 더 깊이 이해하고, 관계를 개선할 수 있다.

이 책의 마음혁명 이야기 81화는 필자가 4차 산업혁명의 시기와 코로나19 팬데믹을 겪으며 매주마다 한 주제씩 묵상하며, 관련 글을 읽으며, 글을 쓰며 스스로 삶 속에서 마음혁명을 실천하려 애썼던 내용이다.

마음혁명을 통하여 우리의 삶이 보다 평화롭고 풍요로워질 수 있기를 기도한다.

2024년 1월 1일
현우(賢宇) 유철기(兪哲基)

제1화 새로운 출발

시간은 천체의 법칙에 따라 모든 사람에게 공평하게 주어진다. 더 가질 수도 덜 가질 수도 없다. 즉, 시간은 우리가 관리할 수 있는 영역을 넘어선다. 우리가 관리할 수 있는 것은 시간을 어떻게 활용할 것인가 하는 우리 자신의 마음이다. 마음관리의 비결은 현재의 순간으로 우리에게 주어지는 시간을 나의 것으로 만들고 그 시간을 나의 목적에 맞게 잘 활용하는 것이다.

순간

• 현재의 순간이 우리가 이용할 수 있는 유일한 순간이다. 그리고 현재의 순간은 모든 순간으로 가는 문이다. -틱낫한

• 순간을 산다는 것은 과거를 내려놓고 미래를 기다리지 않는다는 것을 의미한다. 그것은 당신이 호흡하고 있는 매 순간이 선물이라는 것을 깨닫고, 의식적으로 당신의 삶을 산다는 것을 의미한다. -오프라 윈프리

• 인생은 당신이 현재의 순간에 머무르기만 한다면 당신이 원하는 것은 무엇이든지 할 충분한 시간을 준다. -디팩 초프라

• 마음과 몸의 건강을 위한 비결은 과거를 애통해 하거나, 미래를 걱정하거나, 문제를 예측하는 것이 아니라 현재의 순간을 현명하고 진지하게 사는 것이다. -부처

• 지금이라도 어린 시절에 각인된, 유전자로 물려받은 또는 전생에서 비롯된 프로그램을 바꾸는 것이 결코 늦지 않았다. 해결책은 현재의 순간에서 마음을 챙기는 것이다. -피터 셰퍼드

제2화 사랑의 온도 높이기

우리 마음속의 사랑의 온도를 높이면 높일수록 사람들의 다른 생각들을 더 쉽게 받아들일 수 있다. 사랑의 온도를 높이는 것은 인정, 배려, 용서, 감사다.

마음(내면의 소리)

• 세상에서 가장 좋고 가장 아름다운 것은 보이거나 만져지지 않는다. 그것들은 마음으로 느껴져야만 한다. -헬렌 켈러

• 사람에게 가장 소중한 자산은 머릿속을 가득 채운 지식이 아니라, 들을 열린 귀와 도움의 손길을 가진, 사랑으로 가득한 마음이다. -현우

• 모든 사람은 소속되기를 원한다. 즉 자신들보다 더 큰 어떤 것의 일부가 되기를 원한다. 그러나 그 과정에서 당신의 마음을 따르고 스스로에게 진실한 것이 중요하다. -에밀리 기펀

• 마음으로 어떤 길을 선택하는 법을 아는 것은 직관적인 느낌을 따르는 법을 배우는 것이다. 논리는 당신에게 길이 어디로 가는지를 피상적으로 말해줄 수 있지만, 당신의 마음이 그 안에 있을 것인지의 여부는 판단할 수 없다. -진 시노다 볼린

• 당신의 시간은 유한하다. 그러므로 다른 누군가의 삶을 위해 시간을 낭비하지 마라. 다른 사람의 생각의 결과에 따라 살아가는 독단적 신조에 갇히지 마라. 당신의 내면의 목소리를 듣지 못하게 하는 다른 사람들의 의견으로 인한 소음을 허락하지 마라. 그리고 가장 중요한 것, 당신의 마음과 직관을 따를 용기를 가져라. -스티브 잡스

제3화 행복을 나누는 세상

칭찬의 말,

감사의 말,

용서의 말,

긍정적이고 희망적인 말을 사용하는 것은 나 자신과 다른 사람을 배려하는 숭고한 사랑의 실천이며 모두 함께 행복을 나누는 세상을 만드는 초석이다.

배려

• 유일한 진정한 정중함의 원천은 배려이다. -윌리엄 길모어 심스

• 나에게, 글쓰기는 깊이 생각한 후의 행위이다. 글쓰기는 생각과 배려의 위대한 일이다. -폴 서룩스

• 여자에게 거짓말을 하지 않으려고 하는 남자는 그 여자의 감정을 거의 배려하지 않는다. -올린 밀러

• 예의 바름은 다른 사람을 위한 배려이다. 공손함은 그와 같은 배려를 전달하는 방법이다. -브라이언 맥길

• 개방적으로 교육을 받은 사람은 쉽고 선호되는 대답을 하지 않을 수 있는 사람이다. 그가 완고해서가 아니라 그가 다른 사람들을 배려할 가치가 있다는 것을 알고 있기 때문이다. -앨런 블룸

• 배려심이 없으면, 공동체 의식이 있을 수 없다. -앤서니 디앤젤로

제4화 모성애

이 세상에서 가장 아름답고 헌신적인 사랑은 어머니의 자식에 대한 사랑, 즉 모성애다. 모성애야 말로 이 세상에 존재하는 최선의 모범적 리더십이며 마음을 변화시키는 동력이다.

여성과 경제

• 앞으로 나아가기를 바라지 않는 사람들이 그 방에서 가장 야심적인 사람을 가로막아서는 안 된다. -에마뉘엘 마크롱

• 미래를 위한 하나의 주요한 우선순위는 여성교육에 투자하는 것이다. 여성교육에 대한 투자 없이 평등은 없을 것이다.
-아란차 곤잘레스

• 나는 더 많은 여성을 채용하고, 승진시키고, 고용을 유지해야 한다고 말하는 것이다. 그것이 해야 하는 바른 일이거나, 해야 하는 좋은 일이라 서가 아니라, 해야 하는 현명한 일이기 때문이다.
-저스틴 트뤼도

• 직업 훈련에 대해 다시 생각해야 할 거대한 기회가 왔다. 급속한 기술의 변화와 새로운 직업 영역의 끊임없는 출현과 변화로, 우리는 가볍고, 지속적인 교육이 널리 보급되도록 하는데 초점을 맞추어야 한다. -선다 피차이

• 어떤 사람이 성공하기 위해서는 높은 EQ가 필요할 것이다. 만일 당신이 빨리 잃고 싶지 않다면 높은 IQ가 필요할 것이다. 그리고 만일 당신이 존경받기를 원한다면 높은 LQ, 즉 사랑의 IQ가 필요할 것이다. -잭 마

제5화 우주의 중심

내가 우주의 주인공이다.

내가 곧 태양이고, 달이며, 지구다.

태양인 나, 세상의 빛이며, 희망이다.

지구인 나, 존재하는 몸이며, 나의 모습이다.

달인 나, 변화무쌍한 마음이며, 양심이다.

희망을 노래하자.

자신을 사랑하자.

양심을 고양하자.

양심

• 우주에서 가장 중요한 천체가 바로 나다. 우리 인간 사회를 움직이는 법칙은 도덕이다. 도덕의 근간은 사람의 양심이다. -현우

• 우주의 중심인 우리 모두의 마음이 바르게 생각하고 행동하기를, 양심이 살아 움직여 더욱 아름다운 사회, 모두가 함께 더불어 살기 좋은 사회를 만들기를 소망한다. -현우

• 양심은 인간의 나침반이다. -빈센트 반 고흐

• 가가 요구한다고 하더라도, 양심에 어긋나는 일은 절대 하지 말라. -앨버트 아인슈타인

• 모든 독재정치는 양심이 있는 사람들이 침묵을 지킬 때 발판을 마련한다. -토머스 제퍼슨

• 모든 인간은 네 가지 자질 - 자기인식, 양심, 독립적인 의지, 그리고 창의적인 상상력을 가지고 있다. 이 자질들은 우리에게 궁극적인 인간의 자유를 준다. 그 자유는 선택하고, 반응하고, 변화할 힘이다. -스티븐 코비

• 믿음과 착한 양심을 가지시오. 어떤 사람들은 이 양심을 저버렸고 믿음을 완전히 잃어버렸습니다. -디모데전서 1:19

• 우리의 내적 인도는 지적 이해력을 통해서가 아니라, 먼저 우리의 감정과 육체의 지혜를 통해 우리를 이끈다. 지력은, 우리가 우리에게 활력을 주는 정신적인 에너지를 위해 어떤 용어를 선택하든지, 우리의 직관, 우리의 내적 인도, 영혼, 신 또는 강력한 힘에 공헌할 때 가장 잘 작용한다. -크리스티안 노스럽

제6화 고향과 부모

고향은 지닌 부모의 품이다.
자식은 나그네,
부모는 자식의 안식처다.

효도

• 때때로 아이들은 자식으로서의 책임을 잊어버린다.
-압둘라 아마드 바다위

• 너를 낳아 준 아버지에게 순종하고 늙은 어머니를 업신여기지 말아라. -성경 잠언23:22

• 너의 어버이를 즐겁게 하여라. 특히 너를 낳은 어머니를 기쁘게 하여라. -성경 잠언23:25

• 한 아버지는 열 아들을 기를 수 있으나 열 아들은 한 아버지를 봉양키 어렵다. -독일 격언

• 나무는 고요하고자 하나 바람이 그치지 않고, 자식이 부모에게 효도하고자 하나 부모는 기다려주지 않는다. -한씨외전

제7화 고난을 극복하는 힘

추위를 이겨내고 훈훈한 마음을 느끼게 하는 것,
어려움을 이기는 힘을 주는 것,
바로 사랑이다.

사랑

• 사랑은 적을 친구로 바꿀 수 있는 유일한 힘이다. -마틴 루터 킹
• 이 세상에서의 유일한 행복은 사랑하고 사랑받는 것이다.
-조르주 상드
• 항상 미소를 띠고 다른 사람을 만나자. 미소가 사랑의 시작이다.
-테레사 수녀
• 마음속에 사랑을 간직하라. 사랑이 없는 삶은 꽃이 죽을 때 태양이 없는 정원과 같다. -오스카 와일드
• 만일 당신이 한 번의 미소만 지을 수 있다면, 당신이 사랑하는 사람에게 미소 지으라. -마야 안젤루
• 당신이 다른 사람들에게 줄 수 있는 가장 큰 선물은 조건 없는 사랑과 수용이라는 선물이다. -브라이언 트레이시
• 당신 자신을 사랑하라. 아름다움은 내면에서부터 드러나는 것이기 때문에 긍정적인 상태를 유지하는 것이 중요하다. -젠 프로스키
• 어둠은 어둠을 몰아낼 수 없다. 빛만이 어둠을 몰아낼 수 있다. 증오는 증오를 쫓아낼 수 없다, 사랑만이 증오를 쫓아낼 수 있다.
-마틴 루터 킹

제8화 마음의 선택

우리가 지금 누리는 자유는 당연한 것이 아니다.
많은 사람들이 흘린 땀과 눈물, 그리고 피의 대가다.
그러나, 마음의 자유는 개인의 선택의 결과다.
마음의 자유는 스스로의 노력으로 얻을 수 있다.

자유

• 나는 하나의 자유만을 안다. 그것은 마음의 자유다. -생텍쥐페리

• 행복의 비결은 자유다. 그리고 자유의 비결은 용기다. -투키디데스

• 마음의 아름다움은 자유를 창조한다. 마음의 자유는 아름다움을 창조한다. -앤 드윌미스터

• 마음의 자유만이 국가가 전체주의가 되고 전체주의적인 요구를 하는 것을 막을 수 있다. -프리드리히 뒤렌마트

• 자유는 우리가 좋아하는 것을 하는데 있는 것이 아니라, 우리가 마땅히 해야 할 일을 할 권리를 갖는데 있다. -요한 바오로 2세

• 마음의 근심과 걱정으로부터 자유로운 것은 축복이다. 그리고 나는 그런 사람들이 대부분의 다른 사람들보다 더 완벽함을 즐기고, 최상의 결과를 얻는다는 것을 안다. -윌리엄 포크너

• 자유는 영혼의 산소다. -모세 다얀

• 찾아야 할 자유는 우리 자신이 될 자유, 우리 자신을 표현할 자유이다. -돈 미구엘 루이즈

• 당신은 다른 곳이 아닌 내면에서 자유를 찾을 수 있다. 모든 사람들의 마음속에는 자유로운 공간, 평화로 가득 채울 수 있는 공간, 그리고 사랑으로 가득 찬 공간이 있다. -프렘 라왓

• 인간으로부터 모든 것을 빼앗을 수 있지만, 한 가지는 빼앗을 수 없다. 어떤 주어진 상황 속에서 자신의 태도를 선택하고, 자신의 방법을 선택할 자유는 빼앗을 수 없다. -빅터 프랭클

제9화 숭고한 사랑의 실천

상대의 말을 끝까지 듣는 것은 가장 숭고한 사랑의 실천 방법이다.

듣기

• 가장 큰 사랑의 의무는 듣는 것이다. -폴 틸리히

• 사람들이 항상 충고를 필요로 하는 것은 아니다. 때때로 사람들이 정말로 필요로 하는 것은 잡아야 할 손, 들어야 할 귀, 그들을 이해할 마음이다. -피터 셰퍼드

• 나는 매일 아침 나 자신에게 상기시킨다; 오늘 내가 말하는 것은 어떤 것도 나를 가르치지 못할 것이다. 그러므로 만일 내가 배우고자 한다면, 들음으로써 배워야만 한다. -래리 킹

• 듣는 것은 아주 단순한 행위이다. 그것은 우리로 하여금 그 자리에 함께하고 연습할 것을 요구한다. 그러나 우리는 그 외의 어떤 것도 할 필요가 없다. 충고하거나, 코치하거나, 현명한 말을 할 필요가 없다. 우리는 그저 앉아서 듣기만 하면 된다. -마가렛 J. 휘틀리

제10화 희망의 봄비

행복감과 마음의 평화는 선택의 문제다.
긍정적 접근으로 마음속에 봄비를 내리게 하자.
봄비는 희망의 소식이다.

평화

- 평화는 내면에서 나온다. 외부에서 평화를 찾지 마라. -부처
- 평화는 힘으로 유지될 수 없다. 평화는 이해력으로만 성취될 수 있다. -아인슈타인
- 사랑의 힘이 권력에 대한 사랑을 이겨낼 때 세상은 평화를 알게 될 것이다. -지미 헨드릭스
- 악을 꾀하는 자의 마음에는 속임이 있고 화평을 의논하는 자에게는 희락이 있느니라. -잠언 12:20, 개역개정
- 우리가 현실에 저항하는 것을 멈추면, 행동은 단순하고, 유연하고, 친절하고, 두려움이 없어지게 된다. -바이런 케이티
- 다른 사람들을 용서하라. 그들이 용서받을 가치가 있어서가 아니라 당신이 평화를 누릴 가치가 있기 때문이다. -조나단 록우드 휴이
- 만일 당신이 평화를 원한다면, 싸움을 멈추어라. 만일 당신이 마음의 평화를 원한다면 당신의 생각과의 싸움을 멈추어라.
-피터 맥윌리엄스
- 당신은 당신의 삶의 환경을 재정리함으로써 평화를 찾는 것이 아니라, 내면의 깊은 곳에서 당신이 누구인지를 깨달음으로써 평화를 찾는다. -에크하르트 톨레

제11화 인간의 영묘한 힘

시간은 천체의 법칙에 따라 모든 사람에게 공평하게 주어진다. 더 가질 수도 덜 가질 수도 없다. 즉, 시간은 우리가 관리할 수 있는 영역을 넘어선다. 우리가 관리할 수 있는 것은 시간을 어떻게 활용할 것인가 하는 우리 자신의 마음이다. 마음관리의 비결은 현재의 순간으로 우리에게 바로 주어지는 시간을 나의 것으로 만들고 그 시간을 나의 목적에 맞게 잘 활용하는 것이다.

창의력

• 창의적인 삶을 살기 위해서, 우리는 잘못되는 것에 대한 두려움을 버려야 한다. -조셉 칠턴 피어스

• 당신은 창의력을 다 써버릴 수 없다. 당신이 더 많이 사용하면 할수록, 더 많이 가지게 된다. -마야 안젤루

• 창의력은 단지 사물을 연결하는 것이다. 당신이 창의적인 사람들에게 그들이 어떻게 했는지 물어보면, 그들은 죄책감을 느낀다. 그들이 실제로 그것을 한 것이 아니라, 어떤 것을 보았을 뿐이기 때문이다. 그들에게 그것은 시간이 지난 후에야 명백해지는 것 같다. 창의적인 사람들은 그들이 가진 경험을 연결하고 새로운 것을 합성할 수 있었기 때문이다. -스티브 잡스

• 창의적으로 살 수 있을 만큼 용감해져라. 창의적인 것은 어느 누구도 가본 적이 없는 장소다. 당신은 당신의 안락함의 도시를 떠나 당신의 직관의 황야로 떠나야만 한다. 당신은 버스를 타고 거기에 갈 수 없다. 단지 열심히 노력함으로써, 위험을 감수하는 것으로, 그리고 당신이 하고 있는 일을 정확히 알지 못한 채 갈 수 있다. 당신이 발견하게 되는 것은 경이로운 것; 당신 자신일 것이다.
-알란 알다

제12화 좋은 밭에 뿌리는 씨앗

좋은 밭에 뿌려진 좋은 씨앗이 좋은 꽃을 피울 수 있다.
인생을 긍정적으로 바꾸고자 한다면, 마음속에 좋은 씨앗을 뿌려라.

변화

• 변화를 이해하는 유일한 방법은 그 속으로 뛰어 들어가, 함께 움직이고, 춤을 추는 것이다. -알란 와츠

• 오직 나만이 나의 인생을 변화시킬 수 있다. 어느 누구도 나를 대신해 나의 인생을 변화시킬 수 없다. -캐롤 버넷

• 변화의 비결은 당신의 모든 에너지를 과거와 싸우는 것이 아니라, 새로운 것은 만드는데 집중하는 것이다. -소크라테스

• 변화 없는 진보는 불가능하다. 그리고 자신의 마음을 변화시킬 수 없는 사람들은 어떤 것도 변화시킬 수 없다. -조지 버나드 쇼

• 당신의 인생은 우연에 의해 더 좋아지지 않는다. 당신의 인생은 변화에 의해 더 좋아진다. 변화시키고자 하는 것을 위해, 당신이 변해야만 한다. -짐 론

제13화 회복탄력성의 근원

있는 그대로를 인정하라.
현재 가진 것에 감사하라.
매사를 긍정적인 눈으로 보라.
역경과 고난을 이겨낼 씨앗을 뿌려라.

스티븐 호킹의 어록

• 지능은 변화에 적응하는 능력이다.

• 인생은 재미가 없다면 비극일 것이다.

• 인간의 마음이 미치지 못하는 현실의 측면은 없다.

• 나는 일이 스스로를 불가능하게 만들 수는 없다고 믿는다.

• 일은 당신에게 의미와 목적을 준다. 일이 없다면 인생은 공허하다.

• 과거는 미래와 마찬가지로 무한하며 단지 가능성의 스펙트럼으로 존재한다.

• 오래 살지 못할 것이라는 예상이 나를 더 열심히 살게 하고, 더 많은 일을 하게 했다.

• 당신이 항상 화를 내거나 불평한다면 사람들은 당신을 위해 시간을 내지 않을 것이다.

• 발을 내려다보지 말고 고개를 들어 별을 보라. 당신이 본 것에 대해 이해하려고 노력하라. 우주가 존재하도록 하는 것에 대해 궁금해하라. 호기심을 가져라.

• 우리는 모두 다르다. '표준적인 인간'이나 '평범한 인간'이란 존재하지 않는다. 그러나 우리는 공통적으로 창의적인 능력을 지니고 있다. 삶이 아무리 힘들더라도 모든 사람에겐 특별한 성취를 이뤄낼 힘이 있다.

제14화 행복과 성공

우리가 느끼는 행복과 성공은
우리 마음이 선택한 결과의 표상이다.

선택

• 우리의 선택이 우리가 경험하는 것을 결정한다.
-제니퍼 와도우스키

• 인생은 선택의 연속이고 우리가 할 수 있는 모든 것은 선택하는 것이다. -카말 라비칸트

• 기회를 잡기위해서 선택하라. 그렇지 않으면 당신의 인생은 결코 변하지 않을 것이다. -출처미상

• 나는 변명하기 위해서가 아니라 변화를 위해; 조작하기 위해서가 아니라 동기부여 되기 위해; 이용하는 것이 아니라 유용하게 되기 위해; 경쟁하는 것이 아니라 능숙해지기 위해; 우연으로 사는 것보다 선택으로 살기를 선택한다. 나는 자아 동정이 아니라 자부심을 선택한다. 나는 다른 사람들의 임의적인 의견이 아니라, 나의 내면의 소리를 듣는 것을 선택한다. -이사벨 부체

• 선택의 자유는 우리들 각자의 마음속에 간직하고 있는 놀라운 선물이다. 이 선택은 우리가 어떤 순간에도 인생에 관해 간직하는 진실이다. 선택은 우리의 재량에 따라 새로운 생각과 감정을 선택하는 우리의 생각과 감정 그리고 능력에 대한 관심이다. 우리는 더 이상 다른 사람들이 우리에게 부여하고자 하는 이미지가 될 필요는 없다. 우리는 이제 우리의 내면에 있는 우리가 어떤 사람인지에 관한 완전한 이미지가 될 수 있다. -해롤드 베커

제15화 사물의 존재

이 세상에 존재하는 모든 사물은
우리가 백지 위에 상상력으로 그린 그림이다.

상상력

• 상상력이 없는 사람은 날개가 없다. -무하마드 알리

• 상력의 힘은 우리를 무한하게 만든다. -존 뮤어

• 이성은 질문에 답할 수 있지만, 상상력은 질문을 해야만 한다. -랄프 제라드

• 당신이 하고 있는 일을 믿고 당신의 상상력과 독창력을 사용할 때, 당신이 변화를 가져올 수 있다. -사무엘 대쉬

• 만일 당신이 상상할 수 있는 것이라면, 당신이 성취할 수 있다. 만일 당신이 꿈 꿀 수 있는 것이라면, 당신은 그렇게 될 수 있다. -윌리엄 아서 워드

• 상상력이 지식보다 더 중요하다. 지식은 제한이 있지만, 상상력은 진보를 자극하고, 진화를 일으키며 전 세계를 포용하기 때문이다. -아인슈타인

• 인생에서 당신이 필요로 하는 모든 휴식은 당신의 상상 안에서 기다리며, 상상력은 마음의 에너지를 성취와 부로 바꿀 수 있는 당신 마음의 일터다. -나폴레온 힐

제16화 마음의 안식처

공동체는 우리의 마음을 성장시키고 단련시키는 장이다.
아버지의 보살핌과 어머니의 사랑을 지닌 공동체가 필요하다.

공동체

• 우리는 혼자서는 조금 할 수 있지만, 함께하면 많은 것을 할 수 있다. -헬렌 켈러

• 공동체의 위대함은 구성원들의 연민 어린 행동으로 가장 정확하게 측정된다. -코레타 스콧 킹

• 작은 행동들도, 수백만 명의 사람들이 크게 증가시키면, 세상을 변화시킬 수 있다. -하워드 진

• 다른 사람들을 도울 수 있는 큰 기회는 거의 오지 않지만, 작은 기회는 우리 주변에 널려 있다. -샐리 코흐

• 모든 공동체(지역 사회)에는 해야 할 일이 있다. 모든 국가에는 치유해야 할 상처가 있다. 모든 마음에는 그것을 할 힘이 있다. -마리안 윌리엄슨

• 사회봉사가 없다면, 우리는 건강한 삶의 질을 갖지 못할 것이다. 그것은 받는 사람뿐만 아니라 봉사하는 사람에게도 중요하다. 그것은 우리가 스스로 성장하고 발전하는 방식이다. -도로시 하이트

• 아무 일에든지 다툼이나 허영으로 하지 말고 오직 겸손한 마음으로 각각 자기보다 남을 낫게 여기고 각각 자기 일을 돌봄뿐더러 또한 각각 다른 사람들의 일을 돌보아 나의 기쁨을 충만하게 하라. -성경 빌립보서 2:3-4

제17화 마음을 여는 열쇠

진실한 환한 미소는 마음속에서 시작된다.
밝은 마음이 환한 얼굴, 미소 짓는 얼굴을 만든다.
미소는 마음을 여는 열쇠이다.

미소

• 매일을 미소로 시작하고 미소로 끝내라. -W. C. 필즈
• 따뜻한 미소는 친절의 세계 공용어이다. -윌리엄 아서 워드
• 당신의 미소는 모든 사람들의 마음을 여는 열쇠이다.
-앤소니 디안젤로
• 당신이 입는 어떤 것도 당신의 미소보다 중요한 것은 없다.
-코니 스티븐스
• 미소를 짓고 싶다면, 지금 웃어라. 내일은 당신의 것이 아닐 수도 있다. -찰스 스펄전
• 당신이 미소를 지으면, 당신의 기분이 좋아질 뿐만 아니라, 다른 사람의 삶에 빛을 가져온다. -브라마 쿠마리스
• 거울을 보고 미소 지어라. 매일 아침 그렇게 하라. 그러면 당신의 삶에서 큰 차이를 보기 시작할 것이다. -오노 요코
• 당신이 가는 곳이 어디든지 세상을 바꿀 기회가 있다. 한 번의 미소, 한 번의 포옹, 한 번의 친절한 행동이 누군가에게 다른 세상을 만들 수 있다. -카렌 살만손

제18화 제4차 산업혁명의 핵심

마음혁명의 시대가 도래했다.
제4차 산업혁명의 핵심은 사람이고 우리 각자는 마음혁명을 통하여 자신이 원하는 바를 성취하고 더 풍요로운 삶을 누리는 우주의 주인공이 되어야 한다.

마음혁명

• 세상을 혁명하려 하지 말고, 마음을 혁명해야 한다. -김형효

• 마음은 그 자체로 지옥을 천국으로 만들 수 있고, 천국을 지옥으로 만들 수 있다. -존 밀턴

• 마음은, 낙하산처럼, 열렸을 때 더 잘 작용한다. 그러나, 주먹처럼, 닫혔을 때 더 강하게 때린다. -L. E. 모데싯

• 마음을 정복한 사람에게 마음은 가장 친한 친구이지만, 마음을 이기지 못한 사람에게 마음은 가장 큰 적이 될 것이다.
-스릴라 프라부파다

• 만일 어떤 사람이 삼세 일체의 부처를 알고자 한다면, 마땅히 법계의 본성을 관하라. 모든 것은 오로지 마음이 지어내는 것이다【一切唯心造】. -화엄경, 보살설게품

• 선한 사람은 마음속에 쌓인 선으로 선한 말을 하고 악한 사람은 마음속에 쌓인 악으로 악한 말을 한다. 사람은 마음에 가득 찬 것을 입으로 말하기 마련이다. -누가복음 6:45

제19화 배의 등대

인생길에서 신념은 망망대해를 항해하는 배의 등대와 같다.
등대는 바르고 정확하게 비추어야 배를 안전하게 항구로 인도할 수 있다.

신념

• 신념을 가진 한 사람은 흥미만을 가진 99명과 같다.
-존 스튜어트 밀

• 나의 성공은 오만의 결과가 아니라, 신념의 결과이다.
-코너 맥그리거

• 어느 누구도 억지로 믿게 할 수 없듯이, 어느 누구도 믿지 않게 할 수도 없다. -지그문트 프로이트

• 인생은 살만한 가치가 있다고 믿어라. 그러면 당신의 신념이 그 사실을 창조하도록 도울 것이다. -윌리엄 제임스

• 신념으로 이어지는 것은 확언의 반복이다. 그리고 일단 신념이 깊은 확신이 되면, 모든 일이 일어나기 시작한다. -무하마드 알리

• 성공은 태도, 마음가짐, 헌신, 약속에 달려있다. 그렇게 될 수 있다는 신념은 이루어져야만 하고 이루어질 것이다.
-조지 아로마스 주니어

• 만일 어떤 사람이 자기 자신만의 신념체계에 따라 사물을 본다면, 그 사람은 사실상 귀머거리, 벙어리, 장님이 될 운명이다.
-로버트 앤턴 윌슨

• 대부분의 사람들은 그들의 신념을 보지 못한다. 그들의 신념은 그들에게 그들이 본 것을 말한다. 이것이 명확성과 혼동 사이의 단순한 차이이다. -매트 칸

제20화 마음의 건강과 행복

우리 마음속의 사랑의 온도를 높이면 높일수록
사람들의 다른 생각들을 더 쉽게 받아들일 수 있다.
사랑의 온도를 높이는 것은 인정, 배려, 용서, 감사다.

가정

• 집은 몸을 보호하고 영혼을 위로할 때 가정이 된다.
-필립 모피트

• 집은 몸과 마음을 위한 양식과 정열이 없다면 가정이 아니다.
-벤자민 프랭클린

• 진정한 편안함을 위해서는 집에 머무는 것이 가장 좋다.
-제인 오스틴

• 인생은 당신을 예기치 않은 곳으로 데려간다. 사랑은 당신을 가정으로 데려온다. -멜리사 맥클론

• 가정으로 가서 가족과 진정한 친구들과 함께 시간을 보내는 것은 당신이 안정감을 유지하도록 한다. -제니퍼 엘리슨

• 마음속에 정의가 있는 곳에, 인격에 아름다움이 있다. 인격에 아름다움이 있을 때, 가정에 조화가 있다. 가정에 조화가 있을 때, 국가에 질서가 있다. 국가에 질서가 있을 때, 세계에 평화가 있다.
-압둘 칼람

• 긍정적인 태도는 아마도 다른 어느 곳에서 보다 가정에서 더 중요하다. 배우자와 부모로서, 우리의 가장 중요한 역할 중의 하나는 우리가 사랑하는 사람들이 그들 자신에 대해 좋은 감정을 느끼도록 돕는 것이다. -키이스 해럴

제21화 인간의 역사

인간의 역사는 개인적인 경험의 산물이다.
당신의 오늘이 새로운 인류 역사를 쓰고 있다.
그 역사는 어떤 것이든, 후세들에게 교훈이 될 것이다.

경험

• 지식의 유일한 원천은 경험이다. -앨버트 아인슈타인

• 인생은 지우개 없이 그림을 그리는 기술이다. -존 가드너

• 음식은 단지 에너지를 먹는 것이 아니다. 그것은 경험이다.
-가이 피에르

• 경험으로 확장된 마음은 결코 과거의 수준으로 되돌아갈 수 없다.
-올리버 홈즈

• 용감해지라. 위험을 감수하라. 어떤 것도 경험을 대신할 수 없다.
-파울로 코엘료

• 경험은 잔인한 선생이다. 경험은 먼저 시험을 치르게 한 다음에 교훈을 준다. -무명인

• 만일 사자가 사냥하는 법을 제대로 알고자 한다면, 동물원에 가지 마라. 정글로 가라. -짐 스텡겔

• 우리는 추워봤기 때문에 따듯함을 즐긴다. 우리는 어둠속에 있어봤기 때문에 빛을 고마워한다. 마찬가지로, 우리는 슬퍼봤기 때문에 즐거움을 경험할 수 있다. -데이비드 웨더포드

• 나의 내면을 들여다보고 내가 아무것도 아니라는 것을 알게 되면, 그것은 지혜다. 나의 외면을 살펴보고 내가 모든 것이라는 것을 알게 되면, 그것은 사랑이다. 이 둘 사이에서, 나의 인생이 변한다.
-니사르가닷타 마하라지

제22화 인생의 결정

인생은 꽃과 같다.
피는 꽃을 보고 기뻐할 것인지
지는 꽃을 보고 슬퍼할 것인지는
당신의 태도가 결정한다.

태도

• 태도는 큰 변화를 만드는 작은 것이다. -윈스턴 처칠

• 우리는 우리가 그들에 대해 가지는 것과 똑같은 마음의 태도를 갖도록 다른 사람들을 일깨운다. -엘버트 허버드

• 나는 인생은 나에게 일어나는 일 10%와 일어난 일에 내가 반응하는 90%로 이루어진다고 확신한다. -척 스윈돌

• 만일 당신이 어떤 것을 좋아하지 않는다면, 그것을 바꾸어라. 만일 그것을 바꿀 수 없다면, 당신의 태도를 바꾸어라. -마야 안젤루

• 관점에서의 아주 작은 변화가 삶을 변화시킬 수 있다. 어떤 작은 태도의 수정이 당신 주변의 세상을 바꿀 수 있을까?
-오프라 윈프리

• 행복은 태도다. 우리는 우리 자신을 비참하고 약하게 만들 수도 있고, 행복하고 강하게 만들 수도 있다. 그것을 만드는 일의 양은 똑같다. -프란시스코 레이글러

• 인간으로부터 모든 것을 빼앗을 수 있지만, 한 가지 - 어떤 상황에 처하더라도 자신의 태도를 선택하고, 자기 자신만의 길을 선택할 - 인간의 마지막 자유는 빼앗을 수 없다. -빅터 프랭클

제23화 자신에 대한 사랑

자신에 대한 사랑은 모든 도전을 성공으로 이끈다.
역경을 이겨내는 힘의 원천은 사랑이기 때문이다.

도전

• 인생의 도전은 당신을 무력하게 하는 것이 아니라, 당신이 누구인가를 발견하도록 당신을 돕는 것이다. -버니스 존슨 리건

• 당신은 자신을 믿고, 자신에게 도전하고, 끝까지 당신을 밀어붙여야 한다. 그것이 당신이 성공할 유일한 방법이다. -지-드래곤

• 나는 경쟁을 즐긴다. 나는 도전을 즐긴다. 만일 도전이 내 앞에 있고 나의 마음을 끈다면, 나는 앞으로 나아가 그것을 정복할 것이다. -코너 맥그리거

• 나는 나 자신에게 도전하는 것을 좋아한다. 나는 배우는 것을 좋아한다. 그래서 나는 새로운 것을 시도하고 계속 성장하기 위해 노력한다. -데이빗 쉼머

• 어떤 꿈도 너무 큰 것은 없다. 어떤 도전도 너무 위대한 것은 없다. 우리의 미래를 위해 우리가 원하는 어떤 것도 도달하지 못할 것은 없다. -도널드 트럼프

• 한 사람에 대한 궁극적인 평가는 그 사람이 안락하고 편안한 순간에 어디에 있었느냐가 아니라, 도전과 논쟁의 시기에 어디에 있었느냐에 달려 있다. -마틴 루터 킹

• 도전은 인생을 재미있게 만드는 것이다. 도전을 극복하는 것은 개인의 성장을 가능하게 한다. 우리의 인생에서의 도전은 많고 다양하다. 도전들이 인생의 구조를 구성한다. -피터 셰퍼드

제24화 선택의 문

이 세상의 모든 일과 사람들의 삶은
선택을 통해 새롭게 변화할 기회를 가진다.

기회

• 어떤 문제는 당신에게 최선을 다할 기회를 주는 것이다. -듀크 엘링턴

• 만일 당신이 할 수 있다고 믿지 않는다면, 당신에게는 전혀 기회가 없다. -아르센 벵거

• 노력이 성공을 보장하지는 않지만, 노력이 없다면 당신이 기회를 잡을 수 없기 때문에
당신의 땀(노력)을 즐겨야 한다. -알렉스 로드리게스

• 나는 직업에 있어서 공직보다 더 고귀한 천직은 없다고 생각한다. 공직은 사람들의 삶을 변화시키고 세상을 개선하는 기회를 가진다. -잭 류

• 만일 당신이 두려움에 빠져 있다면, 당신은 결코 인생을 즐길 수 없을 것이다. 당신은 오직 한 번의 기회를 가진다. 그러므로 당신은 재미있게 지내야 한다. -린지 본

• 만일 당신이 위험을 감수하지 않는다면, 당신은 어떤 패배도 겪지 않을 것이다. 그러나 만일 당신이 위험을 감수하지 않는다면, 당신은 어떤 승리도 맛볼 수 없을 것이다. -리처드 닉슨

제25화 희망의 향기

스포츠 시합장은 진정한 우정이 꽃피는 아름다운 정원이다.
선수들은 각자가 독특한 모양으로, 희망의 향기를 뿜어내는 꽃이다.

우정

• 인생에서 가장 큰 선물은 우정이다. -휴버트 험프리

• 우정은 아주 과소평가된 약물이다. -애나 데버 스미스

• 친구는 자연의 걸작이라고 할 수 있다. -랄프 왈도 에머슨

• 모든 재산 중에서 친구가 가장 소중하다. 헤로도투스

• 친구는 태어나는 것이지, 만들어지는 것이 아니다.
-헨리 애덤스

• 철이 철을 날카롭게 하듯이, 친구는 친구를 강하게 한다.
-솔로몬 왕

• 친구는 행복할 때가 아니라, 어려울 때 그들의 사랑을 보여준다.
-에우리피데스

• 이 세상에 진정한 우정보다 더 소중하게 여겨지는 것은 아무것도 없다. -토마스 아퀴나스

• 진정한 우정의 본질은 다른 사람의 작은 실수에 아량을 베푸는 것이다. -데이비드 스토리

• 진정한 우정의 가장 아름다운 특징 중의 하나는 이해하고 이해받는 것이다. -세네카

• 진정한 친구는 당신의 실패를 눈감아 주고 당신의 성공을 너그럽게 보아주는 사람이다. -더그 라슨

제26화 팀플레이의 완성

팀플레이의 완성은 구성원 각자가
어떤 상황에서도 자신과 다른 구성원을 믿고,
자신의 역할, 즉 자신이 잘 할 수 있는 일에
최선을 다하는 것이다.

책임

• 오늘 책임을 회피함으로써 내일의 책임을 벗어날 수 없다.
-에이브러햄 링컨

• 만일 당신이 당신의 책임을 깨닫는다면 당신의 운명을 깨닫게 될 것이다. -타스님 하미드

• 모든 권리는 책임을 포함한다. 모든 기회는 책무를, 모든 소유는 의무를 포함한다. -존 D. 록펠러

• 우리가 져야 할 책임은 우리가 하는 일뿐만 아니라, 우리가 하지 않는 일에도 있다. -몰리에르

• 우리는 우리의 과거에 대한 기억 때문이 아니라, 우리의 미래에 대한 책임으로 현명해진다. -조지 버나드 쇼

• 당신은 개인적인 책임을 져야만 한다. 당신은 환경, 계절 또는 바람을 바꿀 수 없지만, 당신은 자신을 바꿀 수 있다. -짐 론

• 인생에는 두 가지 기본적인 선택이 있다. 존재하는 조건을 그대로 받아들이는 것과 그것을 바꾸기 위한 책임을 받아들이는 것이다. -데니스 웨이틀리

제27화 50:50의 승률

스포츠에는 50:50의 승률과 무승부가 존재한다.
참가자 모두는 똑같은 박수를 받아야 한다.

스포츠

• 결코 포기하지 않는 사람을 이기는 것은 어렵다. -베이브 루스

• 꿈과 성공의 사이에는 많은 피와 땀과 인내가 있다.
-베어 브라이언트

• 승리하는 자는 결코 멈추지 않으며, 멈추는 자는 결코 승리하지 못한다. -빈스 롬바디

• 축구는 축구고 재능은 재능이다. 그러나 당신 팀의 마음가짐이 모든 차이를 만든다. -로버트 그리핀 3세

• 당신이 스스로를 믿을 때, 당신이 필요로 하는 100%의 사람을 당신 편으로 할 수 있다. -아니아 비탐

• 가장 훌륭한 선수를 가진 팀이 승리하는 것이 아니라, 가장 훌륭한 팀을 가진 선수가 승리한다. -알라드 데 용

• 나는 실패를 수용할 수 있다. 모든 사람은 어떤 일에서 실패한다. 그러나 나는 시도하지 않는 것을 수용할 수 없다. -마이클 조던

• 금메달은 정말로 금으로 만들어지는 것이 아니라, 땀, 결단력 그리고 인내력이라 불리는 찾기 힘든 합금으로 만들어진다.
-댄 게이블

제28화 조화로운 삶

사람들이 함께 어우러져 상호 존중하며
평화롭고 조화롭게 사는 것도 지혜의 산물이다.

지혜

• 친절보다 더 위대한 지혜는 없다. -루소

• 자신을 아는 것이 모든 지혜의 시작이다. -아리스토텔레스

• 과학은 조직화된 지식이고, 지혜는 정돈된 삶이다.
-이마누엘 칸트

• 다른 사람들의 행동이 당신의 내면의 평화를 파괴하게 하지 마라.
-달라이 라마

• 다른 사람들을 아는 것은 지혜이고, 자신을 아는 것은 깨달음이다.
-노자

• 지식을 얻기 위해서는 공부해야 하고, 지혜를 얻기 위해서는 관찰해야 한다. -메릴린 보스 사반트

• 우리는 세 가지 방법을 통해 지혜를 배울 수 있다. 첫 번째는 가장 고귀한 성찰을 통해, 두 번째는 가장 쉬운 모방을 통해, 세 번째는 가장 혹독한 경험을 통해서 배울 수 있다. -공자

• 나의 내면을 들여다보고 내가 아무것도 아니라는 것을 알면, 그것은 지혜다. 나의 외면을 보고 내가 모든 것이라는 것을 알면, 그것은 사랑이다. 그리고 이 둘 사이에서, 내 인생은 바뀐다.
-니사르가다타 마하리지

제29화 마음을 훔치는 사람

다른 사람들의 마음을 훔치는 품성이 바른 사람은
깊은 감동을 받은 사람들의 사랑과 존경을 받게 된다.

품성

• 스포츠는 품성을 형성하지 않는다. 스포츠는 품성을 드러낸다. -헤이우드 브룬

• 지식은 당신에게 힘을 줄 것이다. 그러나 품성은 존경을 줄 것이다. -브루스 리

• 나는 옳은 일을 하는 것을 믿는다. 그것이 나의 품성이고 개성이다. -잔루이지 부폰

• 우리의 품성은 아무도 보는 사람이 없다고 생각할 때 우리가 하는 것이다. -잭슨 브라운

• 어떤 사람의 품성은 그 사람이 대화 중에 습관적으로 사용하는 형용사로 알 수 있다. -마크 트웨인

• 거의 모든 사람들이 고난을 견딜 수는 있다. 그러나 만일 당신이 그 사람의 품성을 시험해보고자 한다면, 그 사람에게 권력을 주라. -에이브러햄 링컨

• 품성은 쉽게 그리고 조용하게 개발될 수 없다. 품성은 시련과 고통의 경험을 통하여 영혼이 강해지고, 야망이 고무되며, 성공이 이루질 수 있을 때, 개발된다. -헬렌 켈러

).

제30화 가장 큰 축복

우리가 누리는 가장 큰 축복은 지금 살아있다는 것이다.
매 순간 살아있음에 감사하자.

생명

• 사람이 만일 온 천하를 얻고도 자기 목숨을 잃으면 무엇이 유익하리요. -성경 마가복음 8:36

• 모든 지킬 만한 것 중에 더욱 네 마음을 지키라. 생명의 근원이 이에서 남이니라. -성경 잠언 4:23

• 죽음에 대한 공포는 삶에 대한 두려움에서 비롯된다. 완전하게 사는 사람은 언제든지 죽을 준비가 되어 있다. -마크 트웨인

• 우리가 사랑하는 사람들은 죽지 않는다. 그들은 매일 우리 곁에서 함께 걷는다. 보이지 않고, 들리지 않지만 항상 함께한다. 여전히 사랑받고, 여전히 그리워하며, 여전히 매우 소중하다. -무명

제31화 희망의 빛

삶의 고난 속에서의 유머는
사막의 오아시스와 같이 우리에게 희망의 빛이다.

유머

- 유머가 있는 곳에 문명이 있다. -에르마 봄벡
- 만일 당신이 삶을 살아갈 수 있도록 하는 한 가지 특성을 선택할 수 있다면, 유머감각을 선택하라. -제니퍼 제임스
- 환영 받는 여름 비와 같이, 유머는 갑자기 지구와 공기 그리고 당신을 정화하고 시원하게 할 수 있다. -랭스턴 휴즈
- 상상력은 그 사람이 어떤 사람이 아닌 것에 대해 보상하기 위해 주어진 것이고, 유머 감각은 그 사람이 누구인지에 대해 위로하기 위해 주어진 것이다. -프란시스 베이컨
- 적절한 유머는 사회에서 입을 수 있는 최고의 복장 중 하나다. -윌리엄 메이크피스 새커리
- 당신의 성공을 축하하라. 당신의 실패에서는 약간의 유머를 찾으라. -샘 월튼
- 좋은 유머는 몸과 마음의 강장제이다. 그것은 불안감과 우울증에 가장 좋은 해결책이다. 그것은 사업 자산이다. 그것은 친구를 끌어들이고 유지시켜 준다. 그것은 인간의 부담을 덜어준다. 그것은 평온과 만족으로 가는 직접적인 방법이다. -그렌빌 클레이저

제32화 자신의 표현

살아있는 동안 하고 싶은 일을 하라.
자신의 색깔을 분명히 표현하라.
자신의 인생을 살아라.

스티브 잡스의 삶

• 죽기를 바라는 사람은 아무도 없다. 심지어 천국에 가기를 바라는 사람들조차도 천국에 가기 위해 죽기를 바라지 않는다. 그러나 죽음은 우리 모두에게 공평하게 주어진 목적지다. 어느 누구도 죽음을 피할 수 없다. 그리고 그것은 당연한 것 같다. 죽음은 인생의 유일한 가장 훌륭한 발명일 것이기 때문이다. 죽음은 인생의 변화 대리인이다. 젊은 사람들에게 길을 내어주기 위해 나이 든 사람들을 물러나게 한다. 지금 당장 젊은 사람은 당신이다. 그러나 지금으로부터 그렇게 멀지 않은 날에, 당신도 점점 나이가 들어갈 것이고 물러나게 될 것이다. 너무 극적으로 말해서 미안하지만, 분명한 사실이다. 당신의 시간은 제한되어 있다. 그러므로 누군가 다른 사람의 삶을 살기 위해 시간을 허비하지 마라. 다른 사람들의 사고의 결과로 살아가게 되는, 독단적 주장(교리)에 갇히지 마라. 다른 사람들의 의견에 대한 소음이 당신의 내면의 목소리를 듣지 못하게 하는 것을 허용하지 마라. 그리고 가장 중요한 것, 당신의 마음과 직관을 따르는 용기를 가지라. 마음과 직관은 당신이 진정으로 되고 싶어하는 것을 어떻게든 이미 알고 있다. 다른 모든 것은 부차적인 것이다. -스티브 잡스

제33화 간절한 사랑의 표현

기도는 모든 것에 대한 간절한 사랑의 표현이다.
간절한 사랑은 한 사람의 인생에 기적을 만든다.

기도

• 기도는 인간의 가장 위대한 힘이다. -클레멘트 스톤

• 기도는 낮을 여는 열쇠가 되어야 하고 밤을 닫는 자물쇠가 되어야 한다. -조지 허버트

• 기도가 신을 변화시키지는 못하지만, 기도는 기도하는 그 사람을 변화시킨다. -키에르케고르

• 나는 기도는 우주의 가장 강력한 영향력과 우리가 강력하게 접촉하는 것이라고 믿는다. -로레타 영

• 당신이 당신을 위해 항상 사용할 수 있는 자원 세 가지, 사랑, 기도, 용서를 결코 잊지 마라. -잭슨 브라운

• 만일 당신이 일생을 통하여 단 한 번 기도한다면 말해야 할 것은 '감사합니다' 이고, 그것이면 충분하다. -마이스터 에크하르트

• '감사합니다'는 누구나 말할 수 있는 최상의 기도다. 나는 '감사합니다'라는 말을 많이 한다. '감사합니다'라는 말은 극도의 감사, 겸손, 이해를 말로 나타낸다. - 앨리스 워커

• 기도는 요청이 아니다. 기도는 영혼에 대한 갈구다. 기도는 자신의 약점에 대한 매일의 고백이다. 기도할 때는 마음이 없는 말보다는 말이 없는 마음을 가지는 것이 더 좋다. -마하트마 간디

제34화 소통의 만국 공통어

인사는 소통의 시작이다.
인사는 사람과 사람을 연결하는 끈이며,
세상을 아름답게 만드는 평화의 몸짓이다.

인사

• 내가 깨달은 것은 전 세계의 사람들을 만나고 인사하는 즐거움은 만인공통이라는 것이다. -조 게비아

• 만나고 헤어질 때마다 따뜻하게 인사하라. 나는 이 해결이 우리 가정의 분위기를 얼마나 바꾸었는지에 놀랐다. -그레첸 루빈

• 활기차고, 긍정적인 인사를 하라. 그러면 대부분의 경우 당신은 활기차고, 긍정적인 인사를 받게 될 것이다. 만일 당신이 부정적인 인사를 하게 되면, 대부분의 경우에, 부정적인 인사를 되돌려 받게 된다는 것 또한 사실이다. -지그 지글러

제35화 마음의 표현

우리가 사용하는 언어는 마음의 표현이다.
우리의 삶의 질과 미래는 우리가 사용하는 언어가 결정한다.

언어사용 관련 속담

• 발 없는 말이 천 리 간다(언비천리, 言飛千里).

• 한 글자에 천금의 가치가 있다(일자천금, 一字千金).

• 입은 재앙을 불러들이는 문이다(구화지문, 口禍之門).

• 너에게서 나온 것은 너에게로 돌아간다(출이반이, 出爾反爾).

• 자기가 행한 일의 결과를 자기가 거둔다(자업자득, 自業自得).

• 과거의 일로 인해서 뒷날 그에 대한 보답을 얻는다
(인과응보, 因果應報).

• 열매를 보면 그 나무를 알 수 있다(A tree is known by its fruits).

• 자기가 뿌린 씨는 자기가 거둔다(As a man sows, so he shall reap).

• 부드러운 대답은 분노를 몰아낸다
(A soft answer turns away wrath).

• 고운 말에는 돈이 들지 않는다(Good words cost nothing).

제36화 역사를 바꾸는 불씨

작은 물방울들이 모여 큰 강물이 되고 바다를 이루듯
우리 마음속의 작은 희망은 역사를 바꾸는 불씨가 된다.

희망

• 희망은 어둠속에서 가능성을 드러내는 믿음이다. -조지 일리스

• 아주 작은 희망으로도 사랑의 탄생을 불러일으키기에 충분하다. -스탕달

• 희망은 모든 어둠에도 불구하고 빛이 있다는 것을 볼 수 있는 것이다. -데스몬드 투투

• 낙관주의는 성취로 이끄는 믿음이다. 희망과 자신감이 없으면 아무것도 할 수 없다. -헬렌 켈러

• 어제로부터 배워라. 오늘을 위해 살아라. 내일을 기대하라. 중요한 일은 질문을 멈추지 않는 것이다. -앨버트 아인슈타인

• 긍정적이고 행복한 상태를 유지하라. 열심히 일하고 희망을 포기하지 마라. 비판에 마음을 열고 배우기를 계속하라. 행복하고, 따뜻하고 진실한 사람들로 당신을 둘러싸라. -테나 데사에

• 희망은 비관론을 낙관론으로 바꾼다. 희망은 무적이다. 희망은 모든 것을 변화시킨다. 희망은 겨울을 여름으로, 암흑을 여명으로, 하락을 향상으로, 무익함을 창조성으로, 고통을 즐거움으로 바꾼다. 희망은 태양이고, 빛이다. 희망은 열정이고, 생명의 꽃을 피우는 기본적인 힘이다. -이케다 다이사쿠

第37화 사랑의 출발

사랑의 출발은 자기에 대한 사랑이다.
자기에 대한 사랑은 타인에 대한 배려가 기본이다.
모든 사람은 자신의 가치를 높이고 싶기 때문이다.

자기애

• 자기에 대한 사랑은 우리가 하는 모든 다른 사랑의 근원이다.
-피에르 코르네이유

• 자기에 대한 사랑은 하루 이틀 사이에 얻는 것이 아니다. 자기에 대한 사랑은 계속 진행되는 과정이고, 나는 매일 경험한다.
-코우디아 디오프

• 자신을 믿어라. 당신의 능력에 믿음을 가져라. 당신 자신의 힘 속에 겸손하지만 정당한 자신감이 없다면, 당신은 성공하거나 행복해질 수 없다. -노먼 빈세트 필

• 만일 당신이 당신의 영혼에 자양분을 주고 즐거움을 가져다주는 무엇인가를 발견하면, 당신의 삶속에서 그것을 위한 공간을 만들기 위해 당신 스스로를 충분히 보살펴라. -진 시노다 볼린

• 정원에 있는 나무와 마찬가지로 성장하는 것은 당신의 본성이다. 이해력에 대한 명료성은 당신 개인의 발전을 위한 태양, 빗물 그리고 영양분인 자기 자신에 대한 사랑, 감사와 수용의 문을 연다. 당신이 당신 자신만의 방법에서 벗어나고, 당신의 지혜가 당신을 안내하게 하고 당신의 삶을 오늘 있는 그대로 즐기기 시작하면, 당신을 위한 의식의 증가는 필연적이 된다. -제이미 스마트

제38화 고난 없이 피는 꽃

고난 없이 피는 꽃은 없다.
모진 비바람을 견딘 고통의 시간이 꽃의 색깔로 농축된 것이다.

꽃

• 물 본 기러기 꽃 본 나비 [속담]
→ 바라던 바를 이루어 득의양양하다.
• 꽃이 좋아야[고와야] 나비가 모인다. [속담]
→ 상품이 좋아야 손님이 많다.
• 지성이 지극하면 돌에도 꽃이 핀다. [속담]
→ 무엇이나 정성을 다하면 이 세상에 못 해낼 일이 없다.
• 진 꽃은 또 피지만 꺾인 꽃은 다시 피지 못한다. [속담]
→ 아무리 형편이 어렵더라도 뜻을 굳게 가지고 굽히지 아니하여야 끝내 성공할 수 있다.
• 붙들고 있는 행복은 씨앗이고, 나누는 행복은 꽃이다. -존 해리건
• 꽃은 당신을 사랑하거나 미워하지 않는다. 다만 존재할 뿐이다. -마이크 화이트
• 꽃은 햇볕 없이 필 수 없다. 그리고 사람은 사랑 없이 살 수 없다. -막스 뮐러
• 만일 모든 식물과 꽃을 어디서나 볼 수 있다면, 장소의 매력은 존재하지 않을 것이다. 모든 것은 각기 다르다. 그리고 그것이 흥미를 준다. -리처드 제프리즈

제39화 고향을 그리워하는 이유

사람이 고향을 그리워하는 것은
어머니 품속에서 느꼈던 정과
자연과 나눈 교감의 정 때문이다.

정

• 꼭 껴안는 것은 정을 대신하는 내 어머니의 말이다.
-로버트 인디애나

• 사랑은 살 수 있는 것이 아니며, 정은 값을 매길 수 없다. -제롬

• 우리는 종교와 명상 없이는 살 수 있지만, 인간의 정 없이는 살아남을 수 없다. -달라이 라마

• 우리가 정을 느끼지 못하는 것에 관해서는 창조적이고 열정적이 되기는 어렵다. -데이비드 화이트

• 진실한 정으로 한 일은 어떤 것도 후회하지 마라. 마음에서 우러난 것은 아무것도 잃지 않는다. -배질 라스본

• 아주 작은 것이라 할지라도 정으로 주어진 것이라면, 모든 주어진 선물은 정말로 훌륭한 것이다. -핀다로스

• 누군가의 어깨를 감싸 안고, 손을 잡고, 굿나잇 키스를 하는 것과 같은, 정의 표현은 정직의 원칙을 포함한다. -존 비더웨이

제40화 영혼의 산소

열정은 어떤 것에 대한 사랑의 표현이며
그것에 온전히 헌신하고 집중하는 것이다.

열정

- 열정은 영혼의 산소다. -빌 버틀러
- 인간의 살아있는 정신의 가장 기본적인 핵심은 모험에 대한 열정이다. -크리스토퍼 맥캔들리스
- 배움에 대한 열정을 개발하라. 그러면 결코 성장을 멈추지 않을 것이다. -앤서니 디안젤로
- 열정은 에너지다. 당신을 흥분하게 만드는 것에 집중할 때 나오는 힘을 느껴라. -오프라 윈프리
- 위대한 무용가들이 탁월한 것은 그들의 기교 때문이 아니라, 그들의 열정 때문이다. -마사 그레이엄
- 인생 여정을 즐겨라. 매일 더 나아지려고 노력하라. 열정을 잃지 말고, 당신이 하는 일을 사랑하라. -나디아 코마네치
- 일, 헌신, 즐거움이 모두 하나가 되고, 열정이 살아있는 깊은 만족한 상태에 도달하면, 불가능은 없다. -낸시 코이

제41화 균형과 조화

균형은, 오케스트라의 악기들처럼,
어떤 것을 이루는 많은 다른 요소들이
한 방향으로 나아가기 위해
양보와 협력을 통해 조화를 이루는 것이다.

균형

• 행복은 강렬함의 문제가 아니라 균형과 질서 그리고 리듬과 조화의 문제다. -토머스 머튼

• 인생은 자전거를 타는 것과 같다, 균형을 유지하기 위해서, 당신은 계속 전진해야만 한다. -앨버트 아인슈타인

• 자신감과 겸손은 쉽게 공존할 수 있다. 자신감은 우리의 강함을 포용하고, 겸손은 우리의 약함을 깨닫는 것이다. -리자 프로센

• 만일 우리가 심장 차크라(신체에서 기가 모이는 부위) 안에서 스스로에게 집중하고 우리의 생각에 유념한다면, 우리는 모든 상황에서 균형과 조화를 찾을 수 있다. -로리 베인

• 인생은 균형에 관한 것이다. 친절하라. 그러나 사람들이 당신을 악용하게 하지 마라. 신뢰하라. 그러나 속지 마라. 만족하라. 그러나 당신 자신을 향상시키는 일을 결코 멈추지 마라. -니산 판와르

• 바퀴가 완벽하게 정렬되어 있을 때 자동차가 더 빨리 더 멀리 가기 위해서 에너지는 더 적게 소모하면서 더 부드럽게 달리는 것과 마찬가지로, 당신의 생각, 느낌, 감정, 목표, 그리고 가치가 균형을 이룰 때, 당신은 일을 더 잘 해낼 수 있다. -브라이언 트레이

제42화 자신의 가치

나의 가치는 내가 나를 어떻게 바라보는가에 따라 달라진다.

인권

• 인권은 정부에 의해 부여되는 특권이 아니다. 인권은 인간이 가진 인간성의 가치에 의해 모든 사람이 가지는 권리다. -마더 테레사

• 다른 사람의 권리를 존중하는 것은 평화를 의미한다.
-베니토 후아레스

• 어떤 사람이 자기 배만 불리고 다른 사람은 굶주리고 있는 곳에서는 결코 평화는 없다. -판초 비야

• 만일 당신이 옳고, 옳은 것을 안다면, 당신의 마음을 말해라. 비록 당신이 소수일지라도, 진실은 여전히 진실이다. -마하트마 간디

• 가정은 어린 아이들이 처음으로 자신의 소망을 제한하는 법, 규칙을 지키는 법, 그리고 다른 사람들의 권리와 요구를 고려하는 법을 배우는 곳이다. -스토니 그루언버그

제43화 감각적 민감성

감각은 어떤 것에 대한 주관적인 느낌이고 개별적인 수용 통로이다. 그러므로 우리는 다른 사람들과 공감하기 위해 감각적 민감성을 길러야 한다.

감각

• 상처에 대한 감각을 거부하라. 그러면 상처가 사라질 것이다.
-마르쿠스 아우렐리우스

• 생에서 가장 좋은 축복 두 가지는 좋은 건강과 좋은 감각이다.
-퍼블릴리어스 사이러스

• 변화를 체감하는 유일한 방법은 그것에 뛰어들고, 함께 움직이고, 춤을 추는 것이다. -앨런 왓츠

• 만일 당신이 놀라움과 발견의 감각으로 당신의 인생에 접근한다면, 당신은 당신의 인생을 헤아릴 수 없을 정도로 풍요롭게 할 것이고, 항상 새로운 일에 도전하게 될 것이다. -네이트 버커그

• 어려운 날들이 당신을 더 강하게 만든다는 것을 기억해야만 한다. 좋지 않은 날들은 당신이 좋은 날을 깨닫도록 해준다. 만일 당신이 좋지 않은 날들을 겪어보지 않는다면, 당신은 결코 성취감을 갖지 못할 것이다. - 앨리 레이즈먼

제44화 자아성찰의 기회

독서는 다른 사람의 생각을 통한 자아 성찰의 기회이다.
자아 성찰은 삶의 도약을 위한 에너지 축적의 과정이다.

독서

• 독서는 대화다. 모든 책은 말한다. 그러나 좋은 책은 듣기도 한다. -마크 해던

• 독서는 공감의 운동이다. 잠시 동안 다른 사람의 신발을 신고 걷는 운동이다. -맬로리 블랙맨

• 독서의 매력은 당신이 결코 알 수 없는 방법으로 당신이 여행하도록 해주는데 있다. -알렉 웩

• 독서의 귀중함은 의심을 품는 데 있다. 의심을 품어야 배움과 유익함을 얻을 수 있다. -중국 속담

• 독서를 하는 건 웅변과 반박을 위해서도 아니며 가볍게 믿고 맹종하기 위해서도 아니다. 사고와 균형을 위해서다. -베이컨

• 사람은 오직 두 가지 방법으로 배운다. 한 가지는 독서를 통해 배우는 것이고, 다른 한 가지는 똑똑한 사람들과 교류하면서 배우는 것이다. -윌 로저스

• 위대한 사람들의 삶에 대해 읽으면서. 나는 그들이 이긴 첫 번째 승리는 자신들을 극복한 것이었다는 것을 알았다. 모든 사람들이 최우선으로 여기는 것이 자기 수양이었다. -해리 트루먼

제45화 봉사의 의미

봉사하는 것은 자신의 존재에 대한 감사의 표현이다.
그리고 그것은 겸손, 배려, 사랑을 실천하는 것이다.

봉사

• 당신을 찾는 가장 좋은 방법은 다른 사람들을 위한 봉사에 푹 빠지는 것이다. -마하트마 간디

• 봉사하는 것은 아름답지만, 그것이 즐거움과 온 마음으로 행해질 때만 그렇다. -펄 벅

• 다른 사람들의 희생이 아니라, 다른 사람들을 위한 봉사를 기반으로 성공하라. -잭슨 브라운

• 침묵의 열매는 기도이고, 기도의 열매는 믿음이며, 믿음의 열매는 사랑이고, 사랑의 열매는 봉사이며, 봉사의 열매는 평화다.
- 테레사 수녀

• 진정으로 가치 있는 것은 야망이나 단순한 의무감에서 나오는 것이 아니다. 그것은 사람들을 위한 그리고 존재하는 것들에 대한 사랑과 헌신에서 나온다. -앨버트 아인슈타인

• 이 세상에서 우리의 최상의 목표는 다른 사람들을 돕는 것이다. 그리고 만일 우리가 다른 사람들을 도울 수 없다면, 최소한 그들을 해치지는 말아야 한다. -달라이 라마

• 모든 사람은 위대해질 수 있다. 누구나 봉사할 수 있기 때문이다. 당신이 봉사하기 위해 대학학위를 가질 필요는 없다. 당신이 봉사하기 위해 주어와 동사를 일치시킬 필요도 없다. 당신은 은혜로 충만한 마음, 즉 사랑으로 만들어진 영혼만으로 충분하다.
-마틴 루터 킹

제46화 당신의 가치

성장과 발전의 기본은 변화다.
행복과 성공을 좌우하는 것은 핵심 가치다.

핵심가치

• 가치는 최상의 시간과 최악의 시간에 균형감을 제공한다. -찰스 가필드

• 당신의 핵심 가치는 당신의 영혼을 진정으로 묘사하는 깊이 간직된 신념이다. -존 맥스웰

• 교육의 목적은 사실에 관한 지식에 있는 것이 아니라, 가치에 관한 지식에 있다. -윌리엄 S. 버로스

• 가치 없는 교육은, 그것이 아무리 유용하다 할지라도, 오히려 사람을 더 영리한 악인으로 만드는 것 같다. -C. S. 루이스

• 성숙은 당신의 마음의 평화, 자기 존중, 가치, 도덕 그리고 자아가치를 위협하는 상황과 사람들로부터 멀어지는 것을 배우는 것이다. -피터 셰퍼드

• 만일 우리가 우리의 가치를 위해 대가를 지불하려 하지 않는다면, 우리가 진정으로 그 가치를 믿는지에 대해 우리들에게 물어야만 할 것이다. -버락 오바마

• 당신이 주변의 사람들 때문에 당신 자신과 당신의 도덕에 대해 절충을 시작해야 한다면, 당신은 아마도 당신의 주변 사람들을 바꿀 때가 된 것이다. -빌리 프랭크 알렉산더

제47화 알곡의 고개 숙임

알곡이 고개를 숙이는 것은
남 앞에 자기를 내세우지 않고
마음을 다스려 덕을 베풀기 위해 준비하는 것이다.

겸손

• 겸손은 모든 도덕의 확고한 토대다. -공자

• 겸손하고 여호와를 두려운 마음으로 섬기면 부와 명예를 얻고 장수하게 된다. -잠언22:4

• 진정한 겸손은, 당신이 이미 얼마만큼 알고 있는지에 상관없이, 잘 배우는 것을 유지하는 것이다. -아논

• 모든 아이디어를 기꺼이 받아들여라. 어떤 아이디어가 가장 빛나는 아이디어가 될 것인지 알 수 없다. -윌리스 휴이

• 겸손은 당신이 스스로를 더 낮게 생각하는 것이 아니라, 자신에 대한 생각을 더 적게 하는 것을 의미한다. -켄 블랜차드

제48화 가능성의 바다

당신의 능력은 무한하다. 가능성의 바다다.
그 능력을 찾아내고, 그 능력을 발휘하라.
당신이 바로 그 능력의 주인이다.

능력

• 능력은 당신이 할 수 있는 것이다. 동기부여는 당신이 하는 것을 결정한다. 태도는 당신이 일을 잘하는 방법을 결정한다. -루 홀츠

• 나는 정말로 모든 사람들은 재능, 능력 또는 기술을 가지고 있다고 믿는다. -딘 쿤츠

• 모든 사람은 천재다. 그러나 만일 당신이 나무를 오르는 능력으로 물고기를 판단한다면, 물고기는 평생 자신이 바보라고 믿고 살 것이다. - 아인슈타인

• 우리 모두는 능력을 가지고 있다. 차이는 우리가 능력을 사용하는 방법이다. -스티비 원더

• 삶의 각 순간은 우리의 능력이 그것에 참여할 능력이 있는 만큼만 소중하다. -가이 핀리

제49화 어린이의 마음

무엇이든 가능했던 어린 시절의 당당한 마음으로 직면한 일을 하라. 자신에 대한 믿음, 자신감, 희망이 마음에 가득하다면, 나이는 숫자이고 지혜를 더하는 덤이다. 어린이의 마음으로 도전하라.

마음 훈련과 관리

• 우리는 젊을 때에 배우고, 나이가 들어서 이해한다.
-마리 폰 에브너 에센바흐

• 우리는 항상 우리의 젊음을 위해 미래를 건설할 수는 없지만, 미래를 위해 우리의 젊음을 개발할 수 있다. -프랭클린 루즈벨트

• 당신 삶의 위험을 감수하라. 만일 당신이 이기면, 당신이 이끌 수 있을 것이다. 만일 당신이 지면, 당신은 인도를 받을 것이다.
-스와미 비베카난다

• 당신의 마음을 훈련하고 관리하는 것은, 행복과 성공의 면에서는, 당신이 소유할 수 있는 가장 중요한 기술이다. -T. 하브 에커

• 청춘의 샘이 있다. 그것은 당신의 마음, 당신의 재능, 당신이 당신의 삶과 당신이 사랑하는 사람들의 삶속으로 가져오는 창의력이다. 당신이 이 원천을 이용할 수 있을 때, 당신은 진정으로 나이를 극복할 수 있을 것이다. -소피아 로렌

제50화 부모의 시험

이 세상에서 가장 어렵고 힘든 시험은 부모가 자식 앞에서 치르는 시험이다. 그 결과를 점수로 매길 수도 없고, 빠른 시일 내에 알 수도 없기 때문이다.

시험

• 학교는 극심한 생존 경쟁을 위한 시험공장이 아니다.
-요한 라몬트

• 사랑은 종종 충성도를 시험하기 위해 가면을 쓰고 있다.
-미나 앤트림

• 나는 진정한 위인의 첫 번째 시험은 그 사람의 겸손함에 있다고 믿는다. -존 러스킨

• 경험은 엄한 스승이다. 경험은 먼저 시험을 치르게 하고, 그 뒤에 교훈을 주기 때문이다. -버논 로우

• 만일 내 미래가 표준화된 시험에서의 성과만으로 결정되었다면, 나는 여기에 없을 것이다. 내가 장담한다. -미셸 오바마

• 올바른 방법이 항상 인기가 있고 쉬운 방법은 아니다. 인기가 없을 때 똑바로 서 있는 것은 도덕적인 품성에 대한 진실한 시험이다.
-마가렛 체이스 스미스

• 힘든 상황일 때조차도 좋은 태도를 유지하고 올바른 일을 하라. 당신이 그렇게 할 때 당신은 시험을 통과하고 있는 것이다. 그러면 신은 당신에게 당신의 소중한 순간이 오고 있다고 약속한다.
-조엘 오스틴

제51화 감사의 시기

자신이 이 세상에 존재하고 있음에 지금 감사하라.
모든 일에 지금 감사하라.

감사

• 우리를 감사하게 만드는 것은 행복이 아니라, 우리를 행복하게 만드는 감사의 마음이다. -데이비드 스타인들 라스트

• 당신이 가진 것에 감사하라. 더 많은 것을 가지게 될 것이다. 만일 당신이 가지지 못한 것에 집중하면, 당신은 결코 충분히, 더 많이 가질 수 없을 것이다. -오프라 윈프리

• 감사는 삶의 충만함을 드러낸다. 감사는 우리가 가진 것을 충분하게, 더 많게 바꾼다. 감사는 음식을 잔치로 바꿀 수 있고, 집을 가정으로, 낯선 사람을 친구로 바꿀 수 있다. -멜로디 베티

• 우리가 우리의 삶에서 잃어버린 것에 초점을 맞추는 것을 선택하지 않고, 현재 가진 것에 감사하는 것에 초점을 맞추는 것을 선택하면, 우리는 이 세상에서 천국을 경험하게 된다. -사라 밴 브레스낙

• 나는 나의 모든 문제에 대해 감사한다. 각각의 문제를 극복하고 난 뒤에, 나는 여전히 다가오는 문제를 만났을 때, 더 강해지고 더 잘 대처할 수 있게 되었다. 나는 나의 어려움을 통해 성장했다.
-J. C. 페니

• 감사란 기억이 머릿속에 저장되는 것이 아니라 가슴속에 저장되는 것이다. -라이오넬 햄프턴

제52화 인생의 항로

인생에는 항상 반복적으로 계속 해야 하는 불변의 것이 있고,
전체의 조화와 지속을 위해 주기적으로 변화해야 하는 것도 있다.

시간

• 나비는 여러 달을 세지 않고 순간만 센다. 그래서 충분한 시간을 가진다. -라빈드라나드 타고르

• 어제는 지나갔다. 내일은 아직 오지 않았다. 우리는 오늘만 가지고 있다. 시작하자. -테레사 수녀

• 모든 것을 하는데 충분한 시간은 결코 없다. 그러나 가장 중요한 일을 하는데 충분한 시간은 항상 있다. -브라이언 트레이시

• 인생은 현재의 순간에서만 찾을 수 있다. 만일 우리가 우리 자신에게 충실하지 못하고, 현재의 순간에 완전히 존재하지 못한다면, 우리는 모든 것을 잃게 된다. -틱낫한

• 겨울에는 절대로 나무를 베지 마라. 기운이 없을 때는 절대로 부정적인 결정을 하지 마라. 당신의 기분이 최악일 때는 가장 중요한 결정을 하지 마라. 기다려라. 인내하라. 폭풍은 지나갈 것이다. 봄이 올 것이다. -로버트 슐러

• 인생의 마지막에서, 당신은 한 번 더 시험을 통과하지 못한 것, 한 번 더 소송에서 이기기 못한 것, 한 번 더 거래를 하지 못한 것을 후회하지 않을 것이다. 당신은 남편(아내), 친구, 아이들, 또는 부모님과 함께하지 못한 시간을 후회할 것이다. -바버라 부시

제53화 풍요의 창조

어떤 순간의 마음은 우리가 그 순간에 한 선택의 결과다.
동정(動靜)의 적절한 조화가 삶의 풍요를 가져올 것이다.

풍요

• 풍요는 우리가 획득하는 어떤 것이 아니다. 풍요는 우리가 조화시키는 어떤 것이다. -웨인 다이어

• 당신의 일은 당신의 삶의 많은 부분을 차지할 것이고, 진정으로 만족을 얻게 되는 유일한 방법은 당신이 중요한 일이라고 믿는 일을 하는 것이다. 중요한 일을 하는 유일한 방법은 당신이 하는 일을 사랑하는 것이다. -스티브 잡스

• 당신이 좋아하는 일을 하는 것은 자유다. 당신이 하는 일을 좋아하는 것은 행복이다. 만일 당신이 자유롭고 행복하다면, 그것들은 당신의 삶에서 감사할 훌륭한 자질이며, 많은 수의 소유물보다 더 많은 풍요로움을 제공한다. -피터 셰퍼드

• 종종 사람들은 그들의 삶을 거꾸로 살려고 애쓴다. 사람들은 그들이 원하는 것을 더 많이 하면 그들이 더 행복해질 것이기 때문에 그것을 위해, 더 많은 것, 즉 더 많은 돈을 가지려고 노력한다. 그것이 실제로 작동하는 방법은 그 반대다. 당신은 먼저 진정한 당신이 되어야만 한다. 그런 다음 당신이 원하는 것을 가지기 위해, 당신이 좋아하는 일을 하라. -마가렛 영

제54화 사랑의 넓이

나이는 1년의 시간이 지나면,
자연스럽게 늘어나는 숫자다.
나이가 들어 감에 따라,
주변 사람들에게 주는 사랑의 폭을 넓히자

나이

• 젊음은 자연의 선물이지만, 나이를 먹는 것은 예술작품이다.
-스타니슬라프 리

• 나이는 장벽이 아니다. 나이는 당신이 마음속에 지니는 제한이다.
-재키 조이너 커시

• 나이는 사안에 대한 마음의 문제이다. 당신이 마음에 두지 않는다면, 문제가 되지 않는다. -사첼 페이지

• 당신이 완벽한 나이라는 것을 알아라. 당신이 오직 한 번 살 것이기 때문에, 매년이 특별하고 소중하다. 나이를 먹어가는 것에 편안해져라. -루이스 헤이

• 어떤 사람들은, 아무리 나이가 들더라도, 그들의 아름다움을 잃지 않는다. 그들은 단순히 아름다움을 그들의 얼굴에서 마음으로 옮긴다. -마틴 벅스바움

• 꿈은 재생 가능하다. 우리의 나이 또는 상태가 어떠하던, 우리 내면에는 아직 이용하지 않은 가능성과 태어나기를 기다리는 새로운 아름다움이 있다. -데일 E. 터너

• 청춘의 샘이 있다. 그것은 당신의 마음, 당신의 재능, 당신이 당신의 삶과 당신이 사랑하는 사람들의 삶속으로 가져오는 창의성이다. 당신이 이 원천을 이용하는 것을 배우면, 당신은 정말로 나이를 이기게 될 것이다. -소피아 로렌

제55화 실수하는 사람

당신이 실수한다면, 그 실수를 인정하고 즐기라.
실수한다는 것은 행동하고 있다는 증거이며, 무엇인가를 시도하고 있다는 의미다.
행동하는 사람이야 말로 큰 성취를 이룰 가능성이 있는 유일한 사람이다.

행동

• 실수하지 않는 유일한 사람은 아무것도 하지 않는 사람이다. -시어도어 루스벨트

• 아는 것은 충분치 않다. 적용해야만 한다. 소망은 충분치 않다. 행해야만 한다. -브루스 리

• 시작하기 위해서 당신이 위대할 필요는 없다. 그러나 위대해지기 위해서는 당신이 시작해야만 한다. -레스 브라운

• 행동하기 전에 당신의 감정이 변하기를 기다리지 마라. 행동하라. 그러면 당신의 감정이 변할 것이다. -바바라 바론

• 당신의 목표와 꿈의 충족을 향하여 당신이 행동하기 시작할 때, 당신은 모든 행동이 완벽할 필요는 없다는 것을 깨달아야만 한다. 모든 행동이 바람직한 결과를 내지는 않을 것이다. 모든 행동이 효과가 있지는 않을 것이다. 실수를 하고, 거의 올바르게 하고, 어떤 일이 일어나는지 알기 위해 실험하는 것은 모두 결국 올바른 것을 얻는 과정의 일부이다. -잭 캔필드

第56화 아름다운 당신

아름다운 당신에게!

당신은 아름다운 목소리를 가졌는가?

당신은 아름답게 빛나는 눈을 가졌는가?

당신이 지금 있는 바로 그곳의 경치는 아름다운가?

당신은 아름다운 마음씨를 가졌는가?

당신은 누군가에게 들려줄 아름다운 이야기를 가지고 있는가?

당신은 스스로의 삶을 아름답게 가꾸어 가고 있는가?

당신의 목소리, 당신의 눈동자, 당신이 현재 있는 곳의 풍경, 당신의 마음씨, 당신의 이야기, 그리고 당신의 삶 ...

모두 아름다운, 당신만이 가진 보물이다.

당신의 마음속에서 그 아름다움을 느껴보라.

세상에서 가장 아름다운 것은 당신의 마음속에 있다.

아름다움

• 당신이 다른 사람들이 가진 아름다움을 보기만 한다면, 당신은 아름다운 사람이 될 것이다. -브라이언트 맥길

• 진실과 아름다움의 추구는 우리가 평생 동안 어린 아이로 남아있도록 허용되는 활동의 영역이다. -앨버트 아인슈타인

• 당신의 내면에 아름다움이 존재하지 않는다면, 당신이 인식하거나 창조할 수 있는 아름다움은 없다. -피터 셰퍼드

• 사랑이 당신의 내면에서 자라나는 것처럼, 아름다움도 마찬가지다. 사랑은 영혼의 아름다움이기 때문이다. -성 어거스틴

• 아름다움은 당신이 내면을 어떻게 느끼는가에 달려 있다. 그리고 그것이 당신의 눈에 반영된다. 그것은 신체적인 것이 아니다. -소피아 로렌

제57화 준비된 사람

행운은 준비된 사람에게 찾아오는
혹독한 추위를 이겨내고 활짝 피는 봄꽃과 같다.

행운

• 운을 관찰하고 관리하라.

-김종춘(나는 행운아로 살기로 했다, 2019 신간)

• 근면은 행운의 어머니다. -벤저민 디즈레일리

• 운은 준비된 사람을 돕는다. -루이 파스퇴르

• 운은 조종되지 않는 배들을 불러온다. -윌리엄 셰익스피어

• 행운은 아무것도 하지 않는 사람들을 도울 수 없다.

-소포클레스

• 운은 항상 용감한 사람들을 좋아하며, 스스로 돕지 않는 사람을 결코 돕지 않는다. -P. T. 바넘

• 행운은 깜깜한 어둠을 밝히는 한 줄기 빛과 같이 준비된 사람에게 풍요의 문을 여는 열쇠로 찾아올 것이다. -현우

제58화 자발적 선택

침묵은 억압에 대한 수동적 회피가 아니라
진정한 자유를 위한 자발적 선택이어야 한다.

침묵

- 침묵은 진실의 원천이다. -벤저민 디즈레일리
- 침묵이 무의미한 말보다 더 낫다. -피타고라스
- 침묵은 냉소의 가장 완벽한 표현이다. -조지 버나드 쇼
- 침묵만큼 권위를 강화시키는 것은 없다. -레오나르도 다빈치

침묵은 가장 위대한 대화술 중의 하나다.
-마르쿠스 툴리우스 키케로

- 당신의 침묵을 이해하지 못하는 사람은 아마도 당신의 말도 이해하지 못할 것이다. -엘버트 허버드
- 입을 다물어야할 때를 아는 것은 인생에서 매우 중요하다. 침묵을 두려워해서는 안 된다. -알렉스 트레벡
- 침묵의 열매는 기도이고, 기도의 열매는 믿음이며, 믿음의 열매는 사랑이고, 사랑의 열매는 봉사이며. 봉사의 열매는 평화다.
-테레사 수녀

제59화 소우주의 안정과 평화

우리의 마음은 온갖 현상이 수시로 일어나는 소우주다.
마음 챙김은 소우주의 안정과 평화를 위한 지름길이다.

마음 챙김

• 마음 챙김은 현재의 순간에 의도적으로 개인적인 판단을 하지 않고 주의를 집중하는 것이다. -존 카밧진

• 마음 챙김은 생계유지와 같은 작은 일상의 문제에 관해 생각할 필요가 없을 때 자연스러워진다. -옴 말릭

• 마음 챙김으로 당신은 그 순간에 가능한 삶의 경이로움에 이르기 위해 현재의 자신을 확립할 수 있다. -틱낫한

• 마음 챙김은 어떤 나이의 사람이라도 도울 수 있다. 우리는 우리가 생각하는 대로 되기 때문이다. -골디 혼

• 마음 챙김은 당신이 그곳에 있을 때 당신이 있는 곳에 있도록 당신을 도와준다. 내가 고통을 받고 있는 유권자들과 교류할 때, 마음 챙김이 중요하다. -팀 라이언

• 마음 챙김은 사랑과 애정이 깃든 삶에 관한 것이다, 당신이 이 사랑을 촉진할 때, 사랑은 당신에게 삶을 위한 명료함과 연민을 준다. 그리고 당신의 행위는 그에 따라 일어난다. -존 카밧진

• 마음 챙김은 그저 지금 당장 일어나고 있는 일을 그것이 달라지기를 바라지 않고 인식하는 것이고, 그것이 변할 때(변할 것이다) 붙잡지 않고 그 즐거움을 즐기는 것이며, 일이 항상 그렇게 될 것이라(그렇게 되지 않을 것이다)는 두려움 없이 불쾌한 일을 하는 것이다. -제임스 바라즈

제60화 삶의 결과

일과 삶의 균형은 꿈, 시간, 열정의 분배에 관한 것이다.
균형과 만족의 여부는 당신의 선택과 행동이 결정한다.

일과 균형

• 당신이 인생에서 만족했을 때 비로소 일에서 진정한 만족감을 느끼게 될 것이다. -헤더 셔크

• 우리는 항상 스스로 변화하고, 새로워져야 하고, 활기를 되찾아야 한다. 그렇지 않으면, 우리는 굳어진다. -괴테

• 균형은 더 나은 시간관리가 아니라, 더 나은 경계관리이다. 균형은 선택을 하고 그 선택을 즐기는 것을 의미한다. -벳시 제이콥슨

• 균형, 평화, 즐거움은 성공적인 삶의 결과이다. 성공적인 삶은 당신의 재능을 인식하고 그 재능을 사용하여 다른 사람들에게 봉사하는 방법을 찾는데서 시작된다. -토마스 킨케이드

• 대부분의 사람들은 성공이 그들을 행복하게 해 줄 것이라고 생각하면서, 일(직장)에서 성공을 쫓는다. 진실은 일(직장)에서의 행복이 당신을 성공하게 만들 것이라는 점이다. -알렉산더 셰룰프

• 일은 고무공과 같다. 떨어뜨리면, 다시 튀어오를 것이다. 다른 공, 즉 가족, 건강, 친구, 진실성은 유리로 만들어졌다. 만일 이것들 중 하나를 떨어뜨리면, 돌이킬 수 없을 정도로 흠이 나고, 자국이 생기며, 심지어는 산산조각이 날 수도 있다. -게리 켈러

제61화 국가의 역할

사람들은 국가와 사회의 원칙이 지켜지고 법과 세금이 공정하게 집행되기를 바란다. 국가의 역할은 국민이 행복한 현재를 살고 희망의 미래를 설계하도록 돕는 것이다.

원칙

• 성장의 가장 강력한 원칙은 사람의 선택에 달려있다.
 -조지 엘리엇

• 나의 외교 정책의 첫 번째 원칙은 국내에서의 좋은 정부다.
 -윌리엄 E. 글래드스톤

• 성질에서의 절제는 항상 덕이지만, 원칙에 있어서 절제는 항상 악이다. -토마스 페인

• 방법의 문제에 있어서는, 시류에 따르라. 원칙의 문제에 있어서는, 엄격한 태도를 취하라. -토마스 제퍼슨

• 일자리는 가난을 극복하는 가장 좋은 방법이다. 그래서 내가 초점을 맞춘 원칙은 경제 발전과 일자리 창출이었다.
-루터 스트레인지

• 계약 협상의 첫 번째 원칙은 당신이 과거에 무엇을 했는지 상대에게 상기시키는 것이 아니라, 당신이 미래에 하고자 하는 것을 상대에게 말하는 것이다. -스탠 뮤지얼

제62화 돈과 인생

돈은 민생에 있어서 물과 공기와 같다.
돈 없이 살 수 있는 사람은 아무도 없다.

돈

- 돈이 유일한 해답은 아니지만, 돈은 차이를 만든다. -버락 오바마
- 돈을 버는 것은 예술이다. 일하는 것도 예술이다. 좋은 사업은 최고의 예술이다. -앤디 워홀
- 사람들은 돈을 아무것도 아닌 것으로 말한다. 그러나 돈은 기본적으로 모든 것이다. -믹 밀
- 돈으로 행복을 살 수 없다고 말하는 사람들은 누구나 어디로 쇼핑을 가야하는지 몰랐을 뿐이다. -거트루드 스타인
- 돈은 당신을 생기 있고 건강하게 하고, 당신을 집중하게 하는 중요한 것이다. 돈은 추진력이다. 돈은 열정이다. -트래비스 스캇
- 우리는 돈을 필요로 한다. 우리는 성공을 필요로 한다. 성공은 돈을 가져오고, 돈은 권력을 가져오며, 권력은 명성을 가져오며, 명성은 경기방법을 바꾼다. -영 서그

제63화 문명의 이기

문명의 이기는 모든 사람이 쉽고 편리하게 사용할 수 있을 때 완성된 작품이 된다.

문명

• 모든 문명은 그 문명이 배출하는 개인들의 자질에 따라 달라진다. -프랭크 허버트

• 세상은 한권의 책이다. 그러므로 여행을 하지 않는 사람들은 책의 한 페이지만을 읽을 뿐이다. -성 오거스틴

• 과거를 모르는 사람은 현재를 거의 이해하지 못하고 미래에 대한 비전을 가질 수 없다. -조셉 레이먼드

• 문명을 만드는 것은 네 가지다. 종교 정신, 창조적 예술 정신, 탐구 정신. 그리고 기업 정신이다. -닐 캐러더스

• 당신의 원칙, 당신의 가치를 포기하는 순간, 당신은 죽는다. 당신의 문화도 죽고, 당신의 문명도 죽는다. 끝. -오리아나 팔라치

• 사람들은 사랑받기 위해 태어났고, 사물은 사용되기 위해 만들어졌다. 세상이 혼돈에 빠진 이유는 사물이 사랑을 받고 사람들이 사용되고 있기 때문이다. -달라이 라마

• 문명은 혼돈과 불안이 끝나는 곳에서 시작된다. 두려움이 극복되고, 호기심과 건설성이 자유로울 때, 인간은 자연스런 충동을 삶의 이해와 장식 쪽으로 전달하기 때문이다. -윌 듀란트

제64화 시간과 인생

시간은 수많은 변곡점으로 연결된 직선이고,
인생은 수많은 롤러코스터로 구성된 점이다.

변곡점

• 현재 전 세계가 '변곡점'에 놓여 있다. 빅 데이터와 인공지능을 필두로 한 4차 산업혁명 영향력은 산업 분야에 그치지 않는다. 정치, 경제, 사회 등 모든 면에서 구조적인 변화를 몰고 올 것이다. 이 변곡점에서 어떤 길을 선택하느냐에 따라 우리의 미래는 달라질 것이다. 사회구조가 근본적으로 변하고 기술 발전이 기하급수적으로 진행되는 시대에는 창조적 지식이 무엇보다 중요하다. 미래를 준비할 출발점은 '지식'이다. 객관적이고 합리적인 지식만이 세상을 바꿀 수 있다. 지식을 얻게 만드는 수단은 치밀한 관찰과 경험, 즉 과학이다. 4차 산업혁명으로 요동치는 이때, 자연과 기술, 인간 본연에 대한 이해가 무엇보다 중요하다. 4차 산업혁명이 인간에 대한 이해 없이 진행된다면 아무리 좋은 기술을 개발한다 해도 그것은 혜택이라기 보다 재앙에 가까울 것이다. 과학에 기반을 둔 지식을 공유한다면 세상은 보다 나아질 수 있다. 지식으로 무장한 다음엔 '혁신'이다. 기존의 토대를 근본적으로 바꾸지 않고 선 미래를 꿈꾸기 어렵다. 혁신은 많은 사람들의 생각을 하나로 모을 때 가능하다.
(출처: 변곡점을 넘어 새로운 번영을 향해 (매일경제 세계지식포럼 사무국 저, 2018년 1월 발행)

제65화 좋은 습관

습관은 잠재의식에 내재된 반복적인 생각과 행동의 표출이다.
좋은 습관은 우리를 꿈의 목적지로 인도하는 삶의 여정의 등대다.

습관

- 습관이란 인간으로 하여금 그 어떤 일도 할 수 있게 만들어 준다.

-도스토예프스키

- 다른 사람의 좋은 습관은 내 습관으로 만든다. -빌 게이츠
- 나는 보통사람의 평균보다 5배 정도 더 읽는 것 같다.

-워렌 버핏

- 매일 다른 사람들과 점심 식사를 한다. -하워드 슐츠
- 해 보기나 했어! -정주영
- 사람들과 쉽게 포옹하라. -오프라 윈프리

제66화 건강한 삶

인간다운 삶은 건강한 삶에서 시작된다.
정치는 국민의 건강한 삶을 보장해야 한다.

정치

- 정치는 아첨이다. -윌 로저스
- 정치에서는 친구가 없다. -메리언 라이트 에덜먼
- 정치는 도덕과는 아무런 관련이 없다. -니콜로 마키아벨리
- 정치에서 어리석음은 불리한 점이 아니다. -나폴레옹
- 실수를 범하는 것은 인간이다. 다른 사람을 비난하는 것은 정치다. -휴버트 험프리
- 가장 적게 약속하는 사람에게 투표하라. 그가 가장 적게 실망시킬 것이다. -버나드 바루크
- 공식적으로 부인되기 전까지는 정치에서 일어나는 일은 어떤 것도 믿지 마라. -오토 폰 비스마르크
- 우리 모두는 최고의 인물에게 투표하고 싶어 하지만, 그런 사람은 결코 후보자가 아니다. -킨 허바드
- 정치에서 우연히 일어나는 일은 없다. 어떤 일이 일어난다면, 당신은 그 일이 그런 식으로 계획되었다고 확신해도 좋다. -프랭클린 루스벨트

제67화 정보와 삶

우리가 시시각각 눈으로 보고, 귀로 듣는 모든 것이 정보다.
정보는 우리의 삶을 풍요롭게 만드는 선한 자원이어야 한다.

정보

• 정보는 다름을 만드는 모든 차이다. -그레고리 뱃슨

• 반대는 거절이 아니다. 그것은 단지 더 많은 정보에 대한 요구다. -보 베네트

• 지식은 힘이다. 정보는 해방이다. 교육은 모든 사회, 모든 가정에서, 진보의 전제다. -코피 아난

• 가장 재미있는 정보는 어린이들에게서 나온다. 어린이들은 그들이 아는 모두를 말한 다음 멈추기 때문이다. -마크 트웨인

• 지식은 힘이다. 정보는 힘이다. 지식이나 정보를 숨기거나 축적하는 것은 겸손으로 위장한 전제정치의 행위가 될 수 있다. -로빈 모건

• 만일 당신이 젊은이들에게 충분한 정보를 준다면, 그들은 그 정보로 무엇을 할 것인지 알아낼 것이다, 그들은 약간의 지침만을 필요로 한다. -타라나 버크

• 정보는 당신에게 선택권을 가져다줄 수 있고 선택권은 힘을 가져온다. 당신의 옵션과 선택권에 대하여 스스로를 교육하라. 결코 무지의 어둠속에 남아있지 마라. -조이 페이지

• 우리는 우리의 전의 신념을 확증하는 정보를 수용하고, 그렇지 않은 정보는 무시하거나 믿지 않는 경향이 있다. 이러한 확증 편향은 우리가 보는 모든 것을 왜곡하는 안경과 같이 우리의 눈에 자리 잡는다. -카일 힐

제68화 믿음과 인생관

어떤 것에 대한 믿음은 개인의 인생관을 반영하므로 사람에 따라 다르다. 그럼에도 불구하고, 국가나 사회의 지도자는 개인들의 신뢰를 받아야 한다.

나폴레온 힐의 믿음

- 믿음은 자기암시로 촉진할 수 있는 마음의 상태다.
- 자신에 대한 믿음을 가져라. 무한함에 대한 믿음을 가져라.
- 믿음은 생각의 자극에 생명, 힘, 행동을 주는 "영원한 만병통치약"이다.
- 믿음은 과학의 법칙으로 분석될 수 없는 모든 "기적"과 신비의 근원이다.
- 믿음은 실패를 대비하는 유일한 알려진 대책이다.
- 믿음은 기도와 혼합되었을 때, 사람에게 신의 지성과 직접 소통을 공급하는 요소, "화학물질"이다.
- 믿음은 사람의 한정된 마음에 의해 창조된 평범한 생각의 진동을 영적인 동등함으로 바꾸는 요소이다.
- 믿음은 신의 지성의 광대무변한 힘을 사람이 활용하고 이용할 수 있도록 하는 유일한 힘이다. 어떤 감정의 느낌으로 혼합된 생각은 하늘에 충만한 영기(靈氣)로부터 다른 유사한 생각이나 관련이 있는 생각을 끌어당기는 자력을 만든다.

第69화 생활 이상 실현

문화(文化)란 사회 구성원이 일정한 목적이나 생활 이상을 실현하기 위하여 습득, 공유, 전달하는 행동 양식이나 생활 양식의 과정과 그 과정에서 얻는 물질적 · 정신적 소득을 통틀어 이르는 말로 의식주, 언어, 풍습, 종교, 학문, 예술, 제도 따위를 모두 포함한다. (표준국어대사전)

문화

• 문화는 믿음으로 고상해진 예술이다. -토머스 울프

• 문화는 마음과 영혼을 확장시키는 것이다. - 자와할랄 네루

• 한 나라의 문화는 그 나라 국민들의 마음과 영혼 속에 있다. -마하트마 간디

• 자기 자신의 문화를 보존하는 것은 다른 문화에 대한 경멸 또는 무례를 필요로 하지 않는다. -세자르 차베스

• 도덕적인 문화 속에서 최상의 가능한 단계는 우리가 우리의 생각을 통제해야만 한다는 것을 깨달을 때이다. -찰스 다윈

• 문화는 사람들이 서로를 더 잘 이해하게 만든다. 그리고 만일 사람들이 그들의 마음속에서 서로를 더 잘 이해하게 되면, 경제적이고 정치적인 장벽을 극복하는 것이 더 쉽다. 그러나 먼저 사람들은 그들의 이웃사람들이 결국, 그들과 마찬가지로 똑같은 문제, 똑같은 의문을 가지고 있다는 것을 이해해야만 한다. -파울로 코엘료

제70화 가장 귀중한 것

가족은 희로애락을 함께하는 사랑, 존경, 배려, 용서, 희망, 축복의 대상이다. 매일 새로운 기분으로 새로운 사람을 만나는 것처럼, 가족을 소중히 대하라.

가족

• 가족은 중요한 것이 아니라, 가장 귀중한 것이다. -마이클 J. 폭스

• 가족을 진정으로 연결하는 끈은 혈통이 아니라 각자의 삶 속에서 서로 존중하고 기쁨을 누리는 것이다. -리처드 바크

• 당신은 가족을 선택하지 못합니다. 당신이 가족들에게 신의 선물인 것처럼, 가족은 당신에게 신의 선물입니다. -데스먼트 투투

• 가족생활에서, 사랑은 마찰을 줄이는 윤활유이고, 서로를 더 가까이 묶는 시멘트이며, 조화를 가져오는 음악이다. -에바 버로우스

• 만일 내가 오늘밤 잠자는 동안에 죽는다면, 나의 아이들을 껴안고 내가 그들을 사랑한다고 말하게 해주세요. 나의 어머니께 내가 얼마나 사랑하고 감사하는지를 말하게 해주세요. 내가 나의 친구 또는 더 나은 낯선 사람을 돕게 해주세요. 내가 나의 개인적인 발전이라는 명목으로 지나간 몇 시간을 더 열심히 일하게 해주세요. 그리고 내가 오늘 할 수 있는 일에 최선을 다했다는 것을 알고 잠들게 해주세요. -릭 베네토

제71화 공유와 탐구

글쓰기는 과거를 성찰하고, 현재를 비추며,
미래를 상상하여 표출하는 삶의 도구이며 역사다.

글쓰기

• 글쓰기의 기술은 당신이 믿는 것을 발견하는 기술이다.
-귀스타브 플로베르

• 독서는 완전한 사람을 만들고, 회의는 준비된 사람을 만들며, 글쓰기는 정확한 사람을 만든다. -프란시스 베이컨

• 좋은 글쓰기는 비가 온다는 사실이 아니라 비를 맞는 느낌을 독자가 느끼도록 일깨워주는 것이다. -E. L. 닥터로

• 글쓰기는 정신적으로 자극을 주는 것이다. 글쓰기는 마치 당신이 항상 무엇인가를 생각하도록 만드는 수수께끼와 같다.
-스테파니 짐발리스트

• 글쓰기는 공유하는 것을 의미한다. 글쓰기는 생각, 아이디어, 의견에 대해 공유하기를 바라는 인간의 상태의 일부분이다.
-파울로 코엘료

• 좋은 글쓰기의 정신과 영혼은 탐구에 있다. 당신이 알고 있는 것이 아니라 당신이 찾아낼 수 있는 것에 관하여 써야한다.
-로버트 J. 소이어

제72화 문제해결의 열쇠

큰 문제 해결을 위한 대화는 얽힌 실타래를 푸는 것과 같다.
얽힌 실타래의 마디마디를 풀어내는 데는 인내심이 필요하다.

대화

• 진정한 대화에서, 양측은 기꺼이 변화할 것이다. -틱낫한

• 건전한 민주주의의 기본 원리는 열린 대화와 투명성이다. -피터 펜

• 일단 대화가 시작되면, 편견을 허물어뜨릴 수 있다는 것을 알게 된다. -하비 밀크

• 문제를 해결하고 전쟁에서 우열을 겨루는 가장 좋은 방법은 대화를 통해서이다. -말랄라 유사프자이

• 소셜 미디어는 일방적 방송이 아니라, 대화를 위한 다양한 통로를 가진 기회이다. -클라라 샤이

• 견해의 차이 또는 생각의 상이함이 있다면, 토의와 대화를 통하여 해결할 수 있다. -아짐 프렘지

• 변화는 당신이 옳지 않다고 믿는 일을 행하는 사람들의 이야기를 듣고 나서 대화를 시작함으로써 일어난다. -제인 구달

제73화 기억과 인생

기억은 내가 살아온 인생여정의 보따리다.
나의 현재의 디딤돌이고 미래의 등불이다.

기억

• 행복은 좋은 건강과 나쁜 기억력이다. -잉그리드 버그만

• 모든 사람의 기억은 그 사람의 은밀한 문학이다. -올더스 헉슬리

• 당신이 사랑하는 누군가가 기억이 되면, 그 기억은 보물이 된다. -작자 미상

• 기억은 아름다운 것이다. 기억은 거의 당신이 그리워하는 욕망이다. -귀스타브 플로베르

• 기억은 상상의 보관소, 이성의 보고, 양심의 등기소, 그리고 생각의 회의실이다. -잠바티스타 바실레

• 기억이 없다면 문화는 없다. 기억이 없으면, 문명도, 사회도, 미래도 없을 것이다. -엘리 비젤

제74화 꼬리표의 가치

개인이나 집단에게 꼬리표는 필요악이다.
꼬리표는 모든 사람들의 삶에 도움이 되고
공동체에 긍정적 영향을 줄 때 가치가 있다.

고정관념

• 고정관념은 빠르고 쉽지만 거짓말이고, 진실은 시간이 걸린다.
-뎁 카레티

• 우리는 다른 사람들이 우리에 대해 가지는 고정관념뿐만 아니라 우리가 우리 자신에게 가지는 고정관념도 버려야만 한다.
-셜리 치좀

• 고정관념은 관능적이며, 문화적인 무기다. 그것은 우리가 사람들을 공격하는 방법이다. 예술적인 차원에서 고정관념은 끔찍한 글이다. -주노 디아스

• 꼬리표의 문제는 그 꼬리표들이 고정관념을 낳고, 고정관념은 일반화로 이어지며, 일반화는 추측으로 연결되고, 추측은 다시 고정관념으로 되돌아간다. -엘런 드제너러스

• 사람들이 모두 악하거나 모두 선한 것은 아니다. 사람들을 분류하여 동정심을 가르치지 못한다. 공감과 정직한 열린 소통이 인생을 살아가는 유일한 방법이다. -섀넌 아들러

• 고정관념은 유용하기 때문에 존재한다. 고정관념은 우리 주변 세상의 엄청난 복잡성을 몇 가지 단순한 지침으로 줄인다. 그리고 우리는 우리의 일상의 생각과 결정에서 그 지침을 사용한다. 그러나, 고정관념이 더 단순해지고 더 편리해지면, 고정관념은 적어도 부분적으로는 더 부정확해지기 쉽다. -스튜어트 오스캄프

제75화 인간의 힘

인간의 힘은 사람들이 행복하게 살 수 있는 더 좋은 세상을 만들고 사람들이 자연과 조화를 이루며 평화롭게 살도록 돕는데 사용되어야 한다.

힘(Power)

• 당신의 꿈은 당신의 개성을 규정하는 것이다. 당신의 꿈은 당신에게 날개를 주고 당신이 높이 날도록 하는 힘을 가지고 있다.
-P.V. 신두

• 당신의 말을 바꿈으로써 당신의 세계를 바꿀 수 있다. 죽음과 삶은 혀의 힘에 달려있다는 것을 명심하라. -조엘 오스틴

진실이 최고의 힘이다. 진실이 밝혀지면, 모든 거짓은 도망치고 숨어야 한다. -아이스 큐브

• 음악은 세상이 제공하는 가장 강한 것 중 하나다. 음악은 당신이 어떤 인종, 종교, 국적, 성적 지향 또는 성별을 가졌든 상관없이, 우리를 하나로 묶는 힘을 가지고 있다. -레이디 가가

• 당신은 외부의 사건이 아니라 당신의 마음을 지배하는 힘을 가지고 있다. 이것을 깨달으면 당신은 힘을 얻게 될 것이다. -마르쿠스 아우렐리우스

• 당신의 노력을 존중하라. 당신 자신을 존중하라. 자기존중은 자기수양으로 이어진다. 당신이 자기존중과 자기수양을 확고하게 한다면, 그것이 진정한 힘이다. -클린트 이스트우드

• 권력과 동맹한 무지는, 어떤 경우에도, 정의가 가질 수 있는 가장 지독한 적이라는 것이 확실하다. -제임스 볼드윈

第76화 무언의 약속

상식은 특정한 공간에서 특정한 시간을 공유하는
공동체 구성원들 간의 언행에 대한 무언의 약속이다.

상식

• 상식보다 더 귀한 것은 없다. -프랭크 로이드 라이트

• 상식은 작업복을 입고 있는 천재다. -랄프 왈도 에머슨

• 상식 없이 교육을 받는 것보다 교육 없이 상식을 갖추는 것이 천배나 더 낫다. -로버트 그린 잉거솔

• 상식은 사물을 있는 그대로 보는 버릇이고, 마땅히 해야 할 일을 하는 버릇이다. -해리엇 비처 스토

• 상식은 좋은 감각에 의해 좌우되고, 경험에 의해 훈련되며, 미덕에 의해 고무되는 쓸모 있는 지혜다. -새뮤얼 스마일스

• "진정한 스승은 당신의 내면에 있다. 간단히 말해서, 진정한 스승은 당신의 마음속에 있는 상식 안에서 발견되는 것이다"라는 말을 명심하라. -사라 패디슨

• 어디에서 읽었던지, 누가 말을 했던지, 심지어 내가 그 말을 했더라도, 만일 그것이 너 자신의 이성과 너 자신의 상식에 맞지 않는다면, 아무것도 믿지 마라. -부처

제77화 멈춤의 필요성

휴식은 하나의 여정에서 꼭 필요한 잠깐의 멈춤이며
이는 중단이 아니라 계속을 위한 체계적인 과정이다.

휴식

- 피곤할 때는 휴식을 취하라. 스스로를, 당신의 몸을, 당신의 마음을, 당신의 영혼을 새롭게 하고 생기를 찾으라. -랠프 마스턴
- 휴일은 내면을 여행할 기회다. 휴일은 또한 느긋한 시간을 보내고 긴장을 풀 기회다. 그리고 휴일은 내가 휴식 모드의 스위치를 켜는 때다. -프라바스
- 걷기는 나의 중요한 휴식방법이다. 나는 나의 입장을 검토하지도 세계의 문제를 해결하려고도 하지 않는다. 나는 단지 풍경과 야생동물을 즐길 뿐이다. -케빈 와틀리
- 만일 어떤 사람이 항상 진지해야 한다고 고집하고, 스스로에게 즐거움과 휴식을 허락하지 않는다면, 그 사람은 자신도 모르게 미치게 되거나 불안정한 사람이 될 것이다. -헤로도투스
- 휴가의 목적은 휴식을 취할 시간을 가지는 것이다. 그러나 많은 사람들은 휴가를 가면서도 휴식을 취할 방법을 모른다. 심지어는 휴가를 떠날 때보다 더 지쳐서 돌아오기도 한다. -틱낫한

第78화 역사와 문명

호기심은 개인의 궁금증에서 출발하지만
그 결과는 인류의 역사와 문명을 바꾼다.

호기심

• 호기심은 마음의 욕망이다. 토머스 홉스
• 호기심은 배움의 양초에 있는 심지다. -윌리엄 아서 워드
인생의 모든 면에서의 호기심은 창조적인 사람들의 비밀이다.
-레오 버넷
• 이성은 질문에 답을 할 수 있다. 그러나 상상력은 질문을 해야만 한다. -랄프 제라드
• 호기심은 무지에 대해 기꺼이, 자랑스럽게, 열정적으로 고백하는 것이다. -레너드 루빈스타인
• 우리가 인간의 마음속에서 발견하는 최초이며 가장 단순한 감정은 호기심이다. -에드먼드 버크
• 수백만 명이 사과가 떨어지는 것을 보았지만, 그 이유를 물어본 유일한 사람은 뉴턴이었다. -버나드 바루치
• 불확실성과 신비는 삶의 에너지다. 그것들을 지나치게 두려워 마라. 그것들이 따분함을 막고 창의력을 촉발시킨다. -피츠헨리

제79화 세상의 평화

비바람을 이긴 곡식과 열매가 잘 여물어
가을의 풍요로움을 선사하듯이
갈등을 극복한 사람들이 세상을 평화롭게 한다.

갈등

• 당신이 누군가와 갈등이 있을 때마다, 둘 사이의 관계를 손상시키는 것과 관계를 깊게 하는 것 사이에 차이를 만드는 한 가지 요인이 있다. 그 요인은 태도다. -윌리엄 제임스

• 갈등의 10%는 의견 차이 때문이고, 90%는 잘못된 목소리의 톤 때문이다. -비아 마리즈

• 당신의 마음속에서 우러나오는 삶을 살아라. 당신의 마음에서 공유하라. 그러면 당신의 이야기는 감동을 주고 사람들의 영혼을 치유할 것이다. -멜로디 비티)

• 만일 당신이 평화를 원한다면, 싸움을 멈춰라. 만일 당신이 마음의 평화를 원한다면, 당신의 생각과 싸우는 것을 멈춰라.
-피터 맥윌리엄스

• 평화는 힘으로 유지될 수 없다. 평화는 이해를 통해서만 성취될 수 있다. -아인슈타인

제80화 인생과 노래

살아 있는 동안 하고 싶은 일을 하라.
자신의 색깔을 분명히 표현하라.
자신의 인생을 살아라.

음악

• 음악은 말로 표현할 수 없는 것과 침묵하는 것이 불가능한 것을 표현한다. -빅토르 위고

• 말이 실패한 곳에서, 음악이 말한다. -안데르센

• 음악은 표현할 수 없는 것을 말하고, 마음을 달래고 마음에 휴식을 준다. 마음을 치유하고 온전하게 만든다. 낙원(천국)에서 영혼으로 흐른다. -안젤라 모네

• 나는 음악 자체가 치유하는 것이라 생각한다. 음악은 인간성의 폭발적인 표현이다. 음악은 우리가 감동을 받는 중요한 것이다. 우리가 어떤 문화의 출신이던, 모든 사람은 음악을 사랑한다.
-빌리 조엘

• 음악은 영혼으로부터 일상생활의 먼지를 씻어낸다.
-베르톨트 아우어바흐

• 음악은 사랑이고 사랑은 음악이며 음악은 인생이다. 그리고 나는 내 인생을 사랑한다. -맥린

제81화 사랑과 용서

손 바닥만 있는 손은 없다.
마찬가지로 손 등만 있는 손도 없다.
손은 반드시 손등과 손바닥이 있어야 한다.

관계

• 용서 없는 사랑은 없다. 그리고 사랑 없는 용서도 없다.
-브라이언트 맥길

• 사랑은 소유를 주장하는 것이 아니라, 자유를 주는 것이다.
-라빈드라나트 타고르

• 만일 당신이 사랑의 소리가 들려오기를 바란다면, 사랑의 메시지가 보내져야 한다. 등불이 계속 켜져 있게 하기위해서는 우리가 계속해서 기름을 넣어야 한다. -테레사 수녀

• 문명이 존속하기 위해서, 우리는 인간관계학을 구축해야 한다. 즉 모든 종류의 모든 민족들이 이 세상에서 함께 평화롭게 살 수 있는 능력을 길러야 한다. -프랭클린 루즈벨트

• 어떤 관계도 완전한 시간 낭비가 아니라는 것을 기억하라. 당신은 항상 자신에 대해 배울 수 있다. -잭슨 브라운

마치며

2023년은 코로나-19 팬데믹에서 벗어난 해이며. 생성형 AI의 선두주자인 ChatGPT가 우리의 일상 곳곳에서 활용되는 해로 역사는 기록할 것이다.

매년 연말이면 세계적인 사전들은 그해의 단어를 선정하고 있다. 2023년 11월과 12월에도 각 사전은 2023년의 단어를 발표했다. 대표적인 단어를 보면 다음과 같다.

- Rizz (Oxford University Press)
  https://languages.oup.com/word-of-the-year/2023
- AI (Collins Dictionary)
  https://www.collinsdictionary.com/woty
- Authentic (Merriam-Webster)
  https://www.merriam-webster.com/wordplay/word-of-the-year
- Hallucinate (Cambridge Dictionary)
  https://dictionary.cambridge.org/editorial/woty

우리나라에서는 교수신문이 매년 그해의 사자성어(四字成語)를 선정하여 발표하고 있는데, 2023년의 사자성어로 견리망의(見利忘義)를 선정했다.

선정된 단어를 보면, 한 해 일어난 일들을 상징적으로 잘 보여준다. Rizz의 경우, 상대방에게 매력을 끄는 능력이라 볼 수 있다. 주로 SNS로 소통하는 젊은 세대들의 특성을 잘 나타내고 있는 단어다. 그 외, 세계적인 이슈는 역시 대변혁의 시대를 대표하는 인공지능(AI)과 그로 인해 야기되는 사회적 문제와 관련이 있다. Authentic과 hallucinate라는 단어가 선정된 것은 그 단어 속에는 가짜영상과 생성형 인공지능이 제공하는 정보에 현혹되거나 그 정보가 참인 것으로 맹신해서는 안 된다는 경고의 의미도 담고 있다.

이 또한, 마음혁명이 필요한 이유다. 즉, 대변혁의 시대에 나를 지킬 수 있는 유일한 방법은 나의 마음을 다스리고 변화의 주도자가 되는 것이다. 나의 존재를 있는 그대로 사랑하며 긍정적 자아상을 확립하고, 매순간 일어나는 일에서 감사할 일을 찾고 감사를 표현하는 것은 마음혁명의 가장 중요한 첫걸음이 될 것이다.

이 글을 읽는 모든 분들이 마음혁명을 통해, 대변혁의 시대에 자신의 인생을 지키고 자신 및 타인과의 관계에서 성공하고, 평화롭고 행복한 삶의 주인공이 되기를 바란다.

부록

긍정적 자아상을 위한 자기 사랑 연습

매일 저녁 잠자리에 들기 전(저녁 샤워 후 욕실에서 하는 것 추천), 거울 앞에 서서 그날 하루 동안에 있었던 모든 일에 대해 자신에게 감사한다. 우선 몇 초 동안 거울 앞에서 거울에 비친 자신의 눈을 똑바로 바라본다. 거울 속의 자신이 당신을 똑바로 바라보면, 당신의 이름을 먼저 부르고 다음과 같은 일에 대해 당신에게 감사한다.

- 그날 자신이 이룬 성취(사업, 교육, 인간관계, 감정적인 것 등)
- 자신이 지킨 개인적 원칙(운동, 명상, 기도, 다이어트, 독서 등)
- 자신이 이겨낸 유혹(디저트, 거짓말, 금연, 금주 등)

이 일을 하는 동안에는 계속 거울 속의 자신과 눈을 마주하고 있어야 한다. 감사의 말을 다 마쳤으면 자신의 눈을 계속 쳐다보면서 "나는 너를 사랑한다(I love you)"라고 말하면서 끝낸다.

그런 다음 몇 초 동안 그 자리에 선 채로 당신이 마치 거울 속에서 모든 감사의 말을 다 들었던 그 사람인 것처럼 그 느낌을 만끽한다.

마지막 부분을 하는 동안의 비결은 거울 속의 자신의 모습에 당황하여 거울로부터 고개를 돌리거나 거울을 보고 그런 일을 하고 있는 자신의 모습이 어리석다고 생각해서는 안 된다.

현우의 지혜와 영감의 글

•가시를 가진 장미가 아름다운 색과 향기를 발산한다. 더 좋은 관계를 위하여 다른 사람의 장점을 칭찬하라.

•가족은 희로애락을 함께하는 사랑, 존경, 배려, 용서, 희망, 축복의 대상이다. 매일 새로운 기분으로 새로운 사람을 만나는 것처럼, 가족을 소중히 대하라.

•감각은 어떤 것에 대한 주관적인 느낌이고 개별적인 수용 통로이다. 그러므로 우리는 다른 사람들과 공감하기 위해 감각적 민감성을 길러야 한다.

•개인이나 집단에게 꼬리표는 필요악이다. 꼬리표는 모든 사람들의 삶에 도움이 되고 공동체에 긍정적 영향을 줄 때 가치가 있다.

•고난 없이 피는 꽃은 없다. 모진 비바람을 견딘 고통의 시간이 꽃의 색깔로 농축된 것이다.

•공동체는 우리의 마음을 성장시키고 단련시키는 장이다. 아버지의 보살핌과 어머니의 사랑을 지닌 공동체가 필요하다.

•규칙은 상호 존중, 상대 배려, 자기 절제를 통해 지속가능하고 행복한 공동체를 만들겠다는 약속이다.

•균형은, 오케스트라의 악기들처럼, 어떤 것을 이루는 많은 다른 요소들이 한 방향으로 나아가기 위해 양보와 협력을 통해 조화를 이루는 것이다.
•글쓰기는 과거를 성찰하고, 현재를 비추며, 미래를 상상하여 표출하는 삶의 도구이며 역사다.
•기도는 모든 것에 대한 간절한 사랑의 표현이다. 간절한 사랑은 한 사람의 인생에 기적을 만든다.
•기억은 내가 살아온 인생여정의 보따리다. 나의 현재의 디딤돌이고 미래의 등불이다.
•나이는 1년의 시간이 지나면, 자연스럽게 늘어나는 숫자다. 나이가 들어감에 따라, 주변 사람들에게 주는 사랑의 온도를 높이자.
•내가 우주의 주인공이다. 내가 곧 태양이고, 달이며, 지구다. 태양인 나, 세상의 빛이며, 희망이다. 지구인 나, 존재하는 몸이며, 나의 모습이다. 달인 나, 변화무쌍한 마음이며, 양심이다. 희망을 노래하자. 자신을 사랑하자. 양심을 고양하자.
•다른 사람들의 마음을 훔치는 품성이 바른 사람은 깊은 감동을 받은 사람들의 사랑과 존경을 받게 된다.
•당신만의 스타일을 만들어라. 당신은 매우 독특한 사람이고 가치 있는 사람이다.
•당신은 이 세상에 오직 한 사람이다. 당신을 당당하게 표현하라.

•당신의 능력은 무한하다. 그 능력을 찾아내고, 그 능력을 발휘하라. 당신이 바로 그 능력의 주인이다.
•당신이 실수한다면, 그 실수를 인정하고 즐기라. 실수한다는 것은 행동하고 있다는 증거이며, 무엇인가를 시도하고 있다는 의미다. 행동하는 사람이야 말로 큰 성취를 이룰 가능성이 있는 유일한 사람이다.
•당신이 지금하고 있는 일을 계속 하세요. 바위틈에서 꽃이 피듯 당신의 꿈은 이루어질 것입니다.
•독서는 다른 사람의 생각을 통한 자아 성찰의 기회이다. 자아 성찰은 삶의 도약을 위한 에너지 축적의 과정이다.
•돈은 민생에 있어서 물과 공기와 같다. 돈 없이 살 수 있는 사람은 아무도 없다.
•많은 작은 개울들이 한곳으로 모여 대양을 이루듯 당신의 아주 작은 행동 하나하나에 당신의 마음과 정성을 다한다면, 어느 순간 당신은 당신이 생각하고 기대한 것 이상의 큰 일이 이루어져 있음을 알게 될 것이다.
•매일 새로운 목표를 세우거나 새로운 꿈을 꾸는 것은 당신이 건강한 몸과 마음을 가졌다는 확실한 증거다.
•매일이 어린이 날, 어버이 날, 스승의 날, 부부의 날이 되고 매일이 나의 날이 된다면 이 사회는 행복의 꽃밭이 되리라.
•무엇이든 가능했던 어린 시절의 당당한 마음으로 직면한 일을 하라. 자신에 대한 믿음, 자신감, 희망이 마음에

가득하다면, 나이는 숫자이고 지혜를 더하는 덤이다. 어린이의 마음으로 도전하라.

•문명의 이기는 모든 사람이 쉽고 편리하게 사용할 수 있을 때 완성된 작품이 된다.

•미래를 기다리고 과거를 추억하기보다는 현실을 이겨내라.

•배가 제 역할을 하기 위해 항구를 떠나야만 하듯이 우리가 삶을 바꾸고자 한다면, 안전지대를 벗어나 기회를 찾는 선택을 해야 한다. 그 선택이 당신의 삶을 바꿀 것이다.

•봉사하는 것은 자신의 존재에 대한 감사의 표현이다. 그리고 그것은 겸손, 배려, 사랑을 실천하는 것이다.

•비바람을 이긴 곡식과 열매가 잘 여물어 가을의 풍요로움을 선사하듯이 갈등을 극복한 사람들이 세상을 평화롭게 한다.

•사람들 사이의 평화는 나와 다른 사람들의 권리가 똑같이 취급되거나 동일한 만족을 느낄 때 유지될 수 있다. 마음경영이 중요한 이유다.

•사람들은 국가와 사회의 원칙이 지켜지고 법과 세금이 공정하게 집행되기를 바란다. 국가의 역할은 국민이 행복한 현재를 살고 희망의 미래를 설계하도록 돕는 것이다.

•사람들이 함께 어우러져 상호 존중하며 평화롭고 조화롭게 사는 것도 지혜의 산물이다.

•사람에게는 독특한 영묘한 힘이 있다. 그 힘은 최첨단 기술을 인간 친화적으로 만들 수 있다. 공감능력, 상상력, 창의력이 그 힘이다.
•사람이 고향을 그리워하는 것은 어머니 품속에서 느꼈던 정과 자연과 나눈 교감의 정 때문이다.
•살아 있는 동안 하고 싶은 일을 하라. 자신의 색깔을 분명히 표현하라. 자신의 인생을 살아라.
•살아있다는 것은 큰 축복이다. 매 순간 살아있음에 감사하자.
•삶의 고난 속에서의 유머는 사막의 오아시스와 같이 우리에게 희망의 빛이다.
•상대의 말을 끝까지 듣는 것은 가장 숭고한 사랑의 실천 방법이다.
•상상력은 사람만이 가질 수 있는 보이지 않는 날개다. 상상의 나래를 활짝 펴라.
•상식은 특정한 공간에서 특정한 시간을 공유하는 공동체 구성원들 간의 언행에 대한 무언의 합의이다.
•성장과 발전의 기본은 변화다. 행복과 성공을 좌우하는 것은 핵심 가치다.
•스포츠 시합장은 진정한 우정이 꽃피는 아름다운 정원이다. 선수들은 각자가 독특한 모양으로, 희망의 향기를 뿜어내는 꽃이다.
•스포츠에는 50:50의 승률과 무승부가 존재한다. 참가자

모두는 똑같은 박수를 받아야 한다.
•습관은 우리의 잠재의식에 내재된 반복적인 생각과 행동의 표출이다. 좋은 습관은 우리를 꿈의 목적지로 인도하는 삶의 여정의 등대다.
•시간은 수많은 변곡점으로 연결된 직선이고, 인생은 수많은 롤러코스터로 구성된 작은 점이다.
•시간은 천체의 법칙에 따라 우리에게 주어진다. 더 가질 수도, 덜 가질 수도 없다. 즉, 우리가 관리할 수 있는 영역을 넘어선다. 우리가 관리할 수 있는 것은 자신의 마음이다.
•알곡이 고개를 숙이는 것은 남 앞에 자기를 내세우지 않고 마음을 다스려 덕을 베풀기 위해 준비하는 것이다.
•양심은 옳고 선한 행위로 이끄는 내면의 소리다. 우리는 눈앞의 행위로 선과 악을 구분하는 경향이 있다. 마음의 외부적 표출이 행위이기 때문이다.
•어떤 순간 우리의 마음은 우리가 그 순간에 한 선택의 결과다. 동정(動靜)의 적절한 조화가 삶의 풍요를 가져올 것이다.
•열정은 어떤 것에 대한 사랑의 표현이며, 그것에 온전히 헌신하고 집중하는 것이다.
•우리 마음속의 사랑의 온도를 높이면 높일수록 사람들의 다른 생각들을 더 쉽게 받아들일 수 있다. 사랑의 온도를 높이는 것은 인정, 배려, 용서, 감사다.

•우리가 느끼는 행복과 성공은 우리의 마음이 선택한 결과의 표상이다.
•우리가 사용하는 언어는 마음의 표현이다. 우리의 삶의 질과 미래는 우리가 사용하는 언어가 결정한다.
•우리가 시시각각 눈으로 보고, 귀로 듣는 모든 것이 정보다. 정보는 우리의 삶을 풍요롭게 만드는 선한 자원이어야 한다.
•우리가 지금 누리는 자유는 당연한 것이 아니다. 많은 사람들이 흘린 땀과 눈물, 그리고 피의 대가다. 그러나, 마음의 자유는 개인의 선택의 결과다. 마음의 자유는 스스로의 노력으로 얻을 수 있다.
•우리의 마음은 온갖 현상이 수시로 일어나는 소우주다. 마음 챙김은 소우주의 안정과 평화를 위한 지름길이다.
•우리의 몸과 마음의 건강과 행복은 가정에서 시작되고, 가정에서 완성된다.
•이 세상에 존재하는 모든 사물은 우리가 백지 위에 상상력으로 그린 그림이다.
•이 세상에는 수많은 꽃들이 있지만, 계절에 따라 피는 꽃이 다르고, 꽃마다 피는 속도도 다르다. 모양과 색깔, 냄새 또한 제 각각이다. 당신은 어떤 꽃입니까? 당신의 꽃을 활짝 피우십시오.
•이 세상에서 가장 아름답고 헌신적인 사랑은 모성애다. 모성애야 말로 이 세상에 존재하는 최선의 모범적 리더

십이며 마음을 변화시키는 동력이다.

•이 세상에서 가장 어렵고 힘든 시험은 부모가 자식 앞에서 치르는 시험이다. 그 결과를 점수로 매길 수도 없고, 빠른 시일 내에 알 수도 없기 때문이다.

•이 세상의 모든 일과 사람들의 삶은 선택을 통해 새롭게 변화할 기회를 가진다.

•인간다운 삶은 건강한 삶에서 시작된다. 정치는 국민의 건강한 삶을 보장해야 한다.

•인간의 역사는 개인적인 경험의 산물이다. 당신의 오늘이 새로운 인류 역사를 쓰고 있다. 그 역사는 어떤 것이든, 후세들에게 교훈이 될 것이다.

•인간의 힘은 사람들이 행복하게 살 수 있는 더 좋은 세상을 만들고 사람들이 자연과 조화를 이루며 평화롭게 살도록 돕는데 사용되어야 한다.

•인사는 소통의 시작이다. 인사는 사람과 사람을 연결하는 끈이며, 세상을 아름답게 만드는 평화의 몸짓이다.

•인생길에서 신념은 망망대해를 항해하는 배의 등대와 같다. 바르고 정확하게 비추어야 배를 안전하게 항구로 인도할 수 있다.

•인생에는 항상 반복적으로 계속 해야만 하는 불변의 것이 있고, 전체의 조화와 지속을 위해 주기적으로 변화해야 하는 것도 있다.

•인생은 꽃과 같다. 피는 꽃을 보고 기뻐할 것인지, 지는

꽃을 보고 슬퍼할 것인지는 당신의 태도가 결정한다.
•일과 삶의 균형은 꿈, 시간, 열정의 분배에 관한 것이다. 균형과 만족의 여부는 당신의 선택과 행동이 결정한다.
•있는 그대로를 인정하라. 현재 가진 것에 감사하라. 매사를 긍정적인 눈으로 보라. 역경과 고난을 이겨낼 씨앗을 뿌려라.
•자기에 대한 사랑은 타인에 대한 배려가 기본이다. 모든 사람은 자신의 가치를 높이고 싶기 때문이다.
•자신에 대한 사랑은 모든 도전을 성공으로 이끈다. 역경을 이겨내는 힘의 원천은 사랑이기 때문이다.
•자신을 인정하고, 사랑하고, 믿고, 존경하라.
•자신이 이 세상에 존재하고 있음에 지금 감사하라.
•작은 물방울들이 모여 큰 강물이 되고 바다를 이루듯 우리 마음속의 작은 희망은 역사를 바꾸는 불씨가 된다.
•제4차 산업혁명의 핵심은 사람이다. 자신의 가치를 소중하게 지켜라.
•좋은 밭에 뿌려진 좋은 씨앗이 아름다운 꽃을 피울 수 있다. 인생을 긍정적으로 바꾸고자 한다면, 마음속에 좋은 씨앗을 뿌려라.
•지금 우리가 하는 모든 말과 행동은 우리가 누릴 미래가 될 것이며, 우리가 세상을 떠난 후에는 우리의 후세들이 누리게 될 현실이 될 것이다.
•진실한 환한 미소는 마음속에서 시작된다. 진정한 마음

이 환한 얼굴, 미소 짓는 얼굴을 만든다.

•추위를 이겨내고 훈훈한 마음을 느끼게 하는 것, 어려움을 이기는 힘을 주는 것, 바로 사랑이다.

•침묵은 억압에 대한 수동적 회피가 아니라 진정한 자유를 위한 자발적 선택이어야 한다.

•칭찬의 말, 감사의 말, 용서의 말, 긍정적이고 희망적인 말을 사용하는 것은 나 자신과 다른 사람을 배려하는 숭고한 사랑의 행위이며 모두 함께 행복을 나누는 세상을 만드는 초석이다.

•큰 문제 해결을 위한 대화는 얽힌 실타래를 푸는 것과 같다. 얽힌 실타래의 마디마디를 풀어내는 데는 인내심이 필요하다.

•팀플레이에서 책임은 어떤 상황에서도 자신과 다른 구성원을 믿고, 자신의 역할, 즉 자신이 잘 할 수 있는 일에 최선을 다하는 것이다.

•행복감과 마음의 평화는 선택의 문제다. 긍정적 접근으로 마음속에 봄비를 내리게 하자. 봄비는 희망의 소식이다.

•행운은 준비된 사람에게 찾아오는 혹독한 추위를 이겨내고 활짝 피는 봄꽃과 같다.

•호기심은 개인의 궁금증에서 출발하지만 그 결과는 인류의 역사와 문명을 바꿀 수 있다.

•휴식은 하나의 여정에서 꼭 필요한 잠깐의 멈춤이다. 이

는 중단이 아니라 계속을 위한 체계적인 과정이다.
•휴식의 멈춤은 정지가 아니라 현실 점검이며, 더 나은 인생을 위한 에너지 충전의 기회이다.

•아름다운 당신에게!
당신은 아름다운 목소리를 가졌는가? 당신은 아름답게 빛나는 눈은 가졌는가? 당신이 지금 있는 바로 그곳의 경치는 아름다운가? 당신은 아름다운 마음씨를 가졌는가? 당신은 누군가에게 들려줄 아름다운 이야기를 가지고 있는가? 당신은 스스로의 삶을 아름답게 가꾸어 가고 있는가? 당신의 목소리, 당신의 눈동자, 당신이 현재 있는 곳의 풍경, 당신의 마음씨, 당신의 이야기, 그리고 당신의 삶 ... 모두 아름다운, 당신만이 가진 보물이다. 당신의 마음속에서 그 아름다움을 느껴보라.
이 세상에서 가장 아름다운 것은 당신의 마음속에 있다.